LA FAMILIA, VALORES Y AUTORIDAD

VOL. III

Serie Escuela para Padres

Coordinación

En La Comunidad Encuentro, A. C.

Colaboradores

Sra. Alejandra Kawage de Quintana
Sra. Paz Gutiérrez de Fernández Cueto
Psic. María Llano de Orozco
Lic. Dolores Martínez Parente
Asesora Pedagógica (SEP)
Dra. Marcela Chavarría Olarte

LA FAMILIA, VALORES Y AUTORIDAD

VOL. III

DE PRIMERO A TERCERO DE SECUNDARIA

En La Comunidad Encuentro

EDITORIAL TRILLAS

México, Argentina, España
Colombia, Puerto Rico, Venezuela ®

Catalogación en la fuente

En La Comunidad Encuentro
La familia, valores y autoridad : de primero a
tercero de secundaria. -- México : Trillas, 1998.
v. 3 (198 p.) : il. ; 24 cm. -- (Escuela para
padres)
ISBN 968-24-3434-3

1. Familia. - Conducta de vida. 2. Padres e hijos.
I. t. II. Ser.

D- 306.85'E558fv   LC- HQ755.7'E5.39

Derechos reservados
© 1998, Editorial Trillas, S. A. de C. V.,
Av. Río Churubusco 385, Col. Pedro María Anaya,
C.P. 03340, México, D. F.
Tel. 6884233, FAX 6041364

División Comercial, Calz. de la Viga 1132, C.P. 09439
México, D. F., Tel. 6330995, FAX 6330870

Miembro de la Cámara Nacional de la
Industria Editorial. Reg. núm. 158

Primera edición, mayo 1998
ISBN 968-24-3434-3

Impreso en México
Printed in Mexico

Prólogo

La sociedad en su conjunto se encuentra conformada por las personas que la integran y las comunidades que se entrelazan en una compleja red de mutuas influencias. La familia y la escuela son dos de esas comunidades básicas que comparten las tareas educativas que inciden en la intimidad de los individuos. Si familia y escuela aumentan y mejoran sus capacidades educativas, no cabe duda de que toda la sociedad se verá beneficiada, pues entonces estará formada por personas desarrolladas integralmente.

El pluralismo en que vivimos ofrece criterios de actuación muy variados, de modo que el educador debe prepararse para seleccionar los mejores y lograr el máximo desarrollo intelectual, afectivo y humano, tanto para sí mismo como para los receptores de su acción educadora:

> . . . para lograrlo, no se trata de atacar de frente y al por menor cada uno de los fallos que se cometan en el planteamiento de las cuestiones básicas de la existencia humana. Lo más eficaz es esforzarse en no dejar de lado ningún modo de realidad y hacerles justicia a todos con una forma de razonar adecuada: tareas que exigen una actitud de apertura y generosidad y la voluntad de no ceder a la tentación de entregarse a lo superficial; así la fuerza de la verdad iluminará la mente de cada ser humano, para que cada uno de nuestros conocimientos ostente la forma de racionalidad peculiar que le corresponde.[1]

La labor educativa no sólo requiere preparación técnica, sino el máximo desarrollo humano posible en quienes la ejercen, pues su tarea es como la de un artista, que tiene que aplicar no sólo sus conocimientos, sino también invertir con amor toda su riqueza interior para producir una obra maestra: la vida feliz, el perfeccionamiento de las facultades del educando.

La vida que comienza necesita en sus primeras etapas ejemplos adecuados, modelos de identidad que concuerden con las palabras y con los hechos de quienes la educan, así como también necesita orientación para encontrar los cauces del desarrollo de sus potencialidades, puntos de referencia valio-

[1] A. López Quintás, *Vértigo y éxtasis: bases para una vida creativa*, Impresa, Madrid, 1987, p. 22.

sos que la orienten hacia la verdad sobre sí misma y sobre el mundo que la rodea.

El educador, como todo ser humano, está en proceso de madurez, en vías de alcanzar grados de desarrollo cada vez más altos; por eso es un modelo de esfuerzo más que de logros cabales y perfectos. Los niños y los jóvenes necesitan la integridad de quienes los educan para ser hombres y mujeres íntegros; necesitan contemplar su trabajo esmerado para ser laboriosos y responsables; necesitan tener a la vista su honradez para ser honestos; necesitan advertir su interés por superarse para ser mejores y, por último, necesitan experimentar su capacidad de amor y de amistad para aprender a querer y a ser amigos, novios y esposos leales. Los valores que los educadores procuran integrar en su vida son el mejor ejemplo y la mejor exhortación para animar a los educandos a hacer lo mismo. Se necesitan, pues, auténticos líderes, no sólo en los ámbitos sociales sino, principalmente, en las pequeñas comunidades que propician el encuentro humano profundo y enriquecedor, el que contribuye a incrementar las posibilidades de crecimiento para todos.

El principal objetivo del presente trabajo es mejorar la calidad de las relaciones familiares y escolares, de tal manera que puedan generar recursos humanos para enfrentar positivamente los retos de la sociedad contemporánea y formar integralmente a las nuevas generaciones. El trabajo académico, la instrucción, tiene que buscar la excelencia, pero ésta no basta: la educación no será completa si no persigue la excelencia personal, el compromiso con los valores humanos.

Para lograr lo anterior es necesario contar con elementos, ya que hoy se recibe capacitación para la mayor parte de las tareas que se realizan, pero pocas veces se enseña cómo ser personas plenas y auténticas o cómo ser unos buenos padres. Muchos maestros con gran capacidad didáctica tampoco son conscientes de la importancia de desarrollar las cualidades humanas por medio de la vida escolar y de la interacción con sus alumnos.

Los temas que se abordan en el presente trabajo enfocan planteamientos educativos de fondo, pero inciden también en lo concreto, en las diversas realidades que conforman la vida humana, como son, por ejemplo, los estudios, las relaciones familiares y conyugales, la sexualidad, el conocimiento personal, el adecuado manejo de la autoridad, el desarrollo de la libertad y de la capacidad de amar, el uso de los medios de comunicación, etcétera.

Lograr que las relaciones familiares sean armoniosas, encontrar mejores maneras de comunicarse para que la familia permanezca unida y logre superar las dificultades de la vida, de modo que constituya un verdadero ámbito de amor y de desarrollo para sus miembros, son metas difíciles pero anheladas por todos y vale la pena esforzarse por conseguirlas, por ello se estudian los diferentes ámbitos de la relación humana, así como las posibilidades de las relaciones conyugales y de la vida familiar.

Para todo ello es necesario conocerse a sí mismo y a los educandos con mayor profundidad, mejorar el ejercicio de la autoridad educativa, enseñar a los jóvenes a utilizar su libertad responsablemente e intentar que en los hogares y en las escuelas se procure crecer en virtudes y en cualidades positivas.

El mundo laboral exige una mayor preparación por cuanto cada vez es más competitivo; por eso los niños y los jóvenes tienen que estudiar más y adquirir habilidades de pensamiento, de aprendizaje, de análisis y de convivencia, para todo lo cual es necesario que los adultos sepan motivarlos y guiarlos.

La familia actual recibe influencias muy variadas a través de los medios de comunicación; a veces los padres y los maestros se preguntan sorprendidos dónde aprendieron los niños y los jóvenes algunas cosas o dónde obtuvieron determinadas ideas o actitudes que no coinciden con los principios que procuran inculcarles. Educar hoy exige una postura frente a la utilización de los medios de comunicación, es decir, unos criterios para seleccionar los mejores contenidos, de tal manera que esos medios se utilicen para la diversión, el descanso, el crecimiento cultural y la trasmisión de valores.

Todos estamos orgullosos de nuestra herencia cultural, de los valores que nuestros padres y abuelos nos han trasmitido. Ahora nos corresponde trasmitirlos a nosotros: ser padres y maestros es una maravillosa responsabilidad que tenemos que asumir no como una pesada carga, sino como una oportunidad de desarrollo que debemos aprovechar con optimismo, comprometiéndonos con la tarea de formar mexicanos íntegros que participen en la mejora de la sociedad. Si cada familia, con el apoyo de la escuela, logra cumplir su misión educativa formando personas sanas, trabajadoras, honradas y capaces de ayudar a los demás, entonces no debe preocuparnos el futuro.

Además del contenido de los temas que aquí se exponen, el método activo que se utiliza para su enseñanza facilita la participación del lector y ayuda a que se desarrollen las habilidades básicas de un educador, por ejemplo, aprender a analizar problemas y buscarles vías de solución; tomar decisiones; comunicar con claridad; establecer mínimos normativos; clarificar criterios; fomentar la participación, en fin, ejercer plenamente el liderazgo educativo.

¿En qué consiste la tarea del líder educativo? Quizá podría resumirse en dos objetivos: aprender y enseñar a pensar, pero no a pensar fuera del contexto humano que incluye la afectividad y la decisión voluntaria. En palabras de López Quintás: "El entorno peculiar del hombre es el formado por las realidades valiosas que le ofrecen posibilidades de juego."[2] Y no hay realidades más valiosas que las personas, las cuales, al entrar en el juego creativo del diálogo abierto y respetuoso, pero razonador, el que no conduce al dominio ni a la manipulación, crecen en libertad y se enriquecen unas a otras con sus aportaciones.

Pluralidad, libertad, derecho a la propia opinión y a las propias creencias, respeto al derecho de los demás a ser diferentes. . . ¿Quién no está de

[2] A. López Quintás, *El secuestro del lenguaje*, Impresa, Madrid, 1987, p. 35.

acuerdo con estos principios básicos de la convivencia? Sin embargo, a veces se hace difícil dilucidar lo que es real de lo que es fruto de la imaginación o de la simple opinión, por lo que los líderes educativos deben crear las condiciones básicas para el diálogo, que no es sino la búsqueda común de la verdad sobre el hombre. Cuando algo es valioso o gratificante no se renuncia a ello, se comparte.

En un mundo plagado de opiniones, sólo se alcanzará la verdadera libertad si se sabe distinguir la verdad del error; si se posee una orientación vital que conduzca a emprender tareas importantes, plenas de sentido. Sólo entonces la energía transformadora, la creatividad, puede elevar al hombre por encima de sí mismo.

Todo lo valioso que se presenta ante los ojos tiene que llevar a adoptar una postura activa, a seleccionar y a jerarquizar. Dar preferencia a lo que se considera más importante o imprescindible para la realización personal es una tarea titánica, porque la compleja realidad actual, si algo tiene de desquiciante, es que roba el tiempo para pensar, cuando pensar es una necesidad básica. No se trata de pensar de cualquier forma, sino de pensar rigurosa y profundamente, de verdad, con fundamentos, lo que se dice pensar bien. Y hay que pensar bien para acertar nada menos que en el camino de la vida, tanto de la vida propia como de la de los educandos.

Aun sin querer podemos vernos arrastrados por el vértigo de lo inmediato: una y mil veces al día nos solicitan múltiples gratificaciones que sólo obedecen a la necesidad de vender, a la competencia, al hacer que algo resulte atractivo. Así se permite cualquier cosa: crear ilusiones, mover los resortes psicológicos, crear necesidades e incluso mentir.

En el terreno de las ideas sucede algo parecido. Hay sistemas de pensamiento que se ofrecen como panacea para resolver los problemas humanos y, a veces, desgraciadamente, se basan más en el ilusionismo mental que en la adecuación de la teoría a la realidad. Así es como engañan y conducen al autoengaño debido a que formulan planteamientos educativos incompletos o reducidos, proponiendo verdades a medias.

Hay que hacerle justicia a la realidad y a sus exigencias, porque tarde o temprano la realidad se impone y a veces se cobra con sufrimiento. El auténtico realista evita cuanto empobrece el concepto de hombre y fomenta todo aquello que enriquece su vida. En este mundo confuso hay que ser hombres y mujeres realistas, y la única manera de serlo es reconociendo que hay valores que nos trascienden, que están por encima de nosotros, de modo que el hecho de aceptarlos eleva a cada hombre y a la comunidad en la que éste se desenvuelve. Esto es lo que se llama tener ideales y aspiraciones.

Tener ideales y vivir para ellos es ser realista; es abrirse a la esperanza en lugar de limitarse a ser arrastrado por los sucesos, de lo que se trata es de influir en éstos. Remplazar el tedio por el entusiasmo de construir un futuro mejor en el que realmente se cree requiere una gran fortaleza, un cotidiano volver a empezar a pesar del cansancio y de los obstáculos, es vivir proyectándose hacia lo que perdura porque realmente vale. Tal es la tarea y la misión del líder educativo, de aquel que es capaz de "formarse, de poner en forma la capacidad de asumir activamente los grandes valores".[3]

Lo decisivo de la educación consiste en saber retomar la experiencia acumulada por la humanidad para elaborar un método de acceso a la realidad que permita proyectar el futuro con garantía de éxito. Estas son las propuestas educativas del presente trabajo. Son ambiciosas porque no se limitan a lo que en él se consigna, sino que cuentan con la aportación de la riqueza de aquellos que participan en el juego creativo, del diálogo activo, libre y humano, con las ideas, consigo mismos y con los destinatarios de la educación.

Para la capacitación profesional de los maestros que expongan los temas de la serie *Escuela para padres*, comuníquese con la Asociación ENLACE, A. C., tel./fax 662 89 66, con domicilio en Av. Revolución 1387, Col. Campestre San Ángel, C.P. 01040, México, D. F.

[3] A. López Quintás, *op. cit.*, p. 22.

Nota introductoria
para el manejo
del material

Los maestros pueden organizar Escuelas para padres en sus planteles, invitando a los padres de familia a seguir los cursos de Orientación familiar.

El presente volumen contiene la programación correspondiente a cursos de siete sesiones, así como el material de apoyo que el profesor o los profesores utilizarán para preparar las sesiones.

En algunas clases sería conveniente que los padres de familia contaran con el material, por ejemplo, cuando se requiera discutir un caso, estudiar un texto o responder a un cuestionario; de ser así, se podría reproducir el material necesario a partir del origen del maestro promotor del curso.[1]

[1] Si los padres de familia cursaron anteriormente el programa de cuarto a sexto, las dos primeras sesiones de *Persona y familia* se pueden sustituir por la tercera de *Dimensión social de la persona*.

Índice de contenido

Primera parte

Persona y familia

1

Presentación del programa y su metodología

Objetivo:

Que los participantes conozcan el alcance educativo del programa.

Esquemas de apoyo didáctico:

Anexos 1-4.

Desarrollo del tema (50 min):

Presentación del programa y su metodología

1. Introducción.
2. Objetivos del programa de orientación familiar.
3. Cuestionario inicial para los participantes en el programa de orientación familiar.
4. Presentación de los participantes.
5. Metodología participativa. Técnicas diversas.
6. Evaluación final.
7. Conclusión.

Descanso (20 min).

Trabajo individual (10 min):

Resolver el cuestionario inicial para los participantes (p. 18) y formular las dudas que se presenten.

Sesión plenaria (20 min):

Responder a las preguntas de los participantes.

INTRODUCCIÓN AL PROGRAMA Y SU METODOLOGÍA

EDUCAR HOY, ¿ES DIFERENTE?

Hoy los padres son más conscientes y se muestran más interesados por la educación de sus hijos de lo que lo hicieran en otras épocas.

Lo anterior resulta evidente en la medida en que los cursos sobre educación familiar gozan de amplia aceptación y en que cada vez hay más programas sobre el tema a lo largo y a lo ancho de la República. Los matrimonios jóvenes se preocupan por prepararse y por saber un poco más sobre la educación de los hijos; los matrimonios que no son tan jóvenes se preocupan y se interesan también, aunque por otras razones. Muchas veces los abuelos y los tíos comparten esta inquietud con los padres, y la preocupación no sólo se da en ellos, sino también en los profesores, quienes se han unido a este interés, y cuya cercanía a sus alumnos los ha llevado a desear ayudar a los padres a educar a sus hijos.

Así, no podemos menos que plantearnos la siguiente pregunta: educar hoy, ¿es diferente?

NUEVOS RETOS

Hoy por hoy la familia se enfrenta a la crisis desintegradora que experimenta la sociedad: abandonos de hogar, madres solteras, rupturas matrimoniales, drogadicción, alcoholismo, niños abandonados, violencia y abusos de todo tipo, depresiones infantiles, etcétera.

Además, la familia se enfrenta a una nueva visión y a una valoración distinta del mundo. Nuestros padres nos educaron obedeciendo a su intuición natural y guiados ante todo por el sentido común (nada despreciable) y por las tradiciones y los valores que les fueron inculcados en el seno de su propia familia. Pero, ¿qué sucede en una sociedad como la nuestra, en la que el sentido común deja de ser algo *común* y en la que vemos tambalearse uno a uno esos principios que parecían tan firmes?

Esta situación descontrola y desconcierta a los padres de familia, que, con la mejor voluntad, tratan de guiar a sus hijos.

Frente a todo esto, hoy se impone educar de una manera diferente.

Hay que fortalecer a los padres para fortalecer a los hijos, pues sólo así podrán forjarse personas, matrimonios, familias y sociedades más sanos y más felices.

PADRES, HIJOS Y MAESTROS: LOS PROTAGONISTAS DEL PROCESO EDUCATIVO

Los padres, titulares de la educación en la familia, deben estar preparados para realizar esta labor. Sin embargo, la familia está limitada para llevar a cabo esta tarea. Es por eso que la escuela, por medio de los profesores, es la instancia específica mejor organizada, la más cercana y la más adecuada para poder ayudar a los padres en su delicada labor educativa y para ser, junto con ellos y con sus alumnos, los protagonistas del proceso educativo.

Los profesores y los padres deben encarar un reto apasionante: prepararse con mayor profundidad y con un interés más vivo para la educación *diferente* que se requiere en nuestros días.

OBJETIVOS DEL PROGRAMA DE ORIENTACIÓN FAMILIAR

1. Ayudar a los padres a encontrar los procedimientos y los recursos más acertados y eficaces para la educación.
2. Reflexionar sobre la estrecha colaboración que debe existir entre la familia y la escuela como agentes educativos.
3. Fundamentar qué es la persona, en qué consisten su dignidad y su inmenso valor, sabiendo que sólo conociéndola profundamente podremos respetarla y educarla.
4. Abordar el tema de la familia planteando ésta como el ámbito más propicio para la educación por ser, a su vez, el ámbito natural del amor. La familia como el núcleo de la sociedad, es decir, la esfera donde el ser humano se prepara y se desarrolla para vivir en sociedad.
5. Estudiar el tema del matrimonio por cuanto éste es el fundamento propio de la familia. Se indicará cómo mejorar las relaciones conyugales con objeto de mejorar las relaciones familiares que permitan una educación mejor.
6. Motivar a los profesores y a los padres de familia para que redescubran los valores fundamentales del amor, la libertad, el estudio, el trabajo, el patriotismo, la generosidad y la solidaridad.
7. Explicar algunos temas esenciales para el conocimiento de sí mismo y de los educandos:

a) Las etapas de la educación o las etapas del desarrollo humano.
b) El carácter y la personalidad.

8. Invitar a los padres a conocer las influencias ambientales que intervienen actualmente en la educación de los hijos.
9. Fundamentar la autoridad como un factor esencial para educar, animando a los padres a ejercerla con prudencia.
10. Orientar a los padres de familia para que apoyen y favorezcan los estudios de sus hijos, actualizándolos en las técnicas y en los métodos educativos.
11. Ampliar la perspectiva de la responsabilidad ciudadana y social.
12. Educar para la felicidad.

CUESTIONARIO INICIAL PARA LOS PARTICIPANTES EN EL PROGRAMA DE ORIENTACIÓN FAMILIAR[1]

1. ¿Cuál es el principal motivo por el que te has inscrito en este curso?
2. ¿Cómo te enteraste de él?
3. ¿Qué es para ti la familia y qué es la escuela?
4. ¿Consideras que es importante la colaboración estrecha entre padres y profesores? ¿Por qué?
5. ¿Has tenido alguna experiencia en orientación familiar?

PRESENTACIÓN DE LOS PARTICIPANTES

Para facilitar el conocimiento y el trato personalizado se proporcionará a cada padre de familia un gafete con su nombre.

En la presentación en foro grupal, cada participante se pondrá de pie, dirá su nombre, sus expectativas del programa y su actividad laboral.

METODOLOGÍA PARTICIPATIVA. TÉCNICAS DIVERSAS

Los sistemas tradicionales receptivos se caracterizan por su dimensión individualizada; pretenden, efectivamente, que sea el individuo quien aprenda. Los exámenes, el espíritu de comparación y de competencia, así como el sistema de premios empleados son prueba de ello.

La metodología participativa encuentra su más sólido fundamento en actualizar la capacidad de los participantes por lo que toca a trabajar en grupo. De nada sirve socialmente mi saber matemático o físico, por ejemplo, si no soy capaz de integrarme con los que han de trabajar conmigo en la construcción de un puente, no se construye un puente con materiales, sino con hombres, y es a éstos a quienes debo explicarles lo que sé y a quienes debo escuchar para adaptar mis conocimientos a los suyos. La metodología participativa es un esfuerzo por abandonar ese camino de la enseñanza que despoja de contenido social a los conocimientos.

En este programa se aplicarán distintas técnicas de metodología participativa.

ESTUDIO INDIVIDUAL

La metodología participativa se fundamenta en el estudio individual de los textos de la serie *Escuela para padres*, que podrán ser adquiridos por el participante.

[1] Estas preguntas deben responderse en una hoja aparte.

Es preciso recordar que la riqueza y la profundidad de una sesión grupal depende del estudio individual de los alumnos, el cual será complementado con la reflexión sobre sus propias experiencias.

A partir del estudio individual de los documentos, los participantes pueden:

1. Formular preguntas.
2. Destacar temas o problemáticas de especial interés.
3. Analizar los distintos aspectos de un mismo tema.
4. Plantear los problemas principales de un caso determinado.
5. Aclarar dudas.
6. Profundizar en los distintos conceptos.

La técnica sin la actitud no educa.

ANÁLISIS DE CASOS

Consiste en una discusión que se basa en la lectura de un texto, en el cual se describe una situación real perteneciente al campo de las relaciones humanas y susceptible de ser mejorada. El análisis sirve para el desarrollo de las capacidades y para la modificación de las actitudes de los participantes.

El moderador no comunica sus ideas ni resuelve el caso, sino que enseña a analizar situaciones, a definir problemas, a encontrar vías de solución, etc., por medio de un diálogo dirigido. También se pretende que las aportaciones de cada uno sean aprovechadas por los demás.

La riqueza de una sesión dirigida dependerá de la riqueza de las aportaciones recibidas. Es importante hacer notar que *quien no participa no se integra.*

Durante las sesiones no se deben exponer problemas personales. Habrá oportunidades para hacer consultas particulares cuando así se solicite a alguno de los moderadores. También se podrá consultar durante el tiempo de descanso a quien dirige la sesión.

Los casos que se analizan están tomados de la vida real, pero se han cambiado los nombres de personas y lugares con el fin de respetar el anonimato.

TRABAJO EN PEQUEÑOS GRUPOS

Una vez concluida la discusión de un caso o la exposición de un tema, los participantes se dividirán en grupos pequeños.

Es aconsejable que cada grupo esté integrado por ocho o 10 personas.

Los tipos de tareas a realizar serán previamente explicadas por el expositor y consistirán en:

1. Formular o contestar preguntas.
2. Encontrar soluciones para un problema.
3. Analizar las ideas principales de algún escrito, etcétera.

La eficacia del grupo depende de la actuación del moderador, el cual debe ser respetuoso y crear las condiciones que propicien la participación activa de todos.

El trabajo en equipo es de gran ayuda para quienes no están acostumbrados a hablar en público. Al integrarse varias personas cuyas experiencias son distintas, todos resultan enriquecidos.

El moderador será elegido previamente y de preferencia deberá tener estudios en orientación familiar. Si esto no fuera posible, se elegirá un moderador que destaque por sus cualidades de liderazgo sobre el grupo.

La labor del moderador es fundamental para el buen desarrollo del programa. Él es quien encauza las inquietudes y las necesidades individuales de los participantes mediante el trato personal.

Deberá nombrarse también un secretario que tome nota de las conclusiones (véase el Anexo 1).

Papel del moderador

El moderador puede ser simultáneamente secretario, pero también puede proponer a un participante que desempeñe esa función anotando las ideas fundamentales del tema estudiado y las conclusiones.

Habrá que evitar dirigir excesivamente. El moderador aporta sus propias ideas a la reunión del pequeño grupo, pero ha de estar abierto a cualquier sugerencia que implique una nueva forma de pensar sobre el tema que se está debatiendo.

El moderador debe conciliar. Evitará que una discusión entre dos o más participantes se prolongue demasiado, ya sea invitando a los demás a que expongan su punto de vista, ya sea proponiendo él mismo una posible solución a lo que se discute.

Si un participante pregunta algo o expone una duda, no siempre ha de ser el moderador el que responda. Procurará invitar a los demás a que lo hagan para que se produzca un diálogo cruzado en cierto orden (véase el Anexo 2).

Conferencia-coloquio

Es la exposición oral y pública de un asunto, programa, teoría u opinión, complementada con el diálogo final con el auditorio.

En ella se motiva la participación del público mediante una exposición atractiva y ordenada.

Sesión plenaria

Una vez concluido el trabajo en pequeños grupos, todos los participantes se reúnen nuevamente para la parte final de la sesión, en la que se comentan las posibles soluciones a los casos, se obtienen las conclusiones y se aclaran las dudas.

En la sesión plenaria se pueden realizar las siguientes actividades correspondientes al tema desarrollado:

1. Contestar las preguntas.
2. Sostener una discusión general.
3. Discutir el caso a partir de los problemas.
4. Puntualizar las conclusiones.

(Véase el Anexo 3.)

EVALUACIÓN FINAL

Al terminar cada sesión se entregará a cada participante una hoja de evaluación que llenará de manera individual. En ella se apreciará si se cumplieron las expectativas en cuanto a la calidad de la exposición y al desarrollo del tema tratado.

CONCLUSIÓN

El *programa de orientación familiar* se desarrollará en 10 días, en los cuales se impartirán las 20 sesiones, dando así un total de 30 horas. Al finalizar el curso el padre de familia contará con los elementos suficientes para mejorar su formación como educador.

La capacitación del padre de familia no termina nunca, antes bien precisa de una formación continua.

El mejor estímulo para el perfeccionamiento de su labor orientadora serán los cursos de orientación familiar, sus lecturas y sus reflexiones sobre su vida familiar.

ANEXO 1. TRABAJO EN PEQUEÑOS GRUPOS

Moderador:

1. Seguir la dinámica del método.
2. Aprender a escuchar.
3. No dejarse llevar por la subjetividad o por la intuición.
4. Aprender a expresarse con claridad.
5. Identificarse con las ideas de los demás si éstas le convencen.
6. Llegar a conclusiones concretas y positivas.
7. Explicar a los demás lo que no se entienda.
8. Aprender a evaluar la actuación del equipo con miras a una mayor eficacia del mismo.

Objetivos que se persiguen:

1. Mayor participación.
2. Mayor profundización.
3. Mayor rapidez.
4. Mayor facilidad para detectar las dudas.
5. La amistad del grupo.

ANEXO 2. LOS PARTICIPANTES EN UNA REUNIÓN

Analizar los distintos tipos de participantes:

1. *Tipo discutidor*. No dejarse enredar por él. Usar el método participativo para neutralizarlo, dando a otros oportunidad de que hablen para impedir que él monopolice la discusión.
2. *Tipo positivo*. Su colaboración es muy útil en la discusión. Hay que permitir que dé su opinión en todos los casos y recurrir a él frecuentemente.
3. *Tipo sabelotodo*. No hay que defenderlo del ataque de los demás; se permitirá que el grupo comente sus teorías y lo ubique.
4. *Tipo locuaz*. Hay que interrumpirlo con tacto y poner un límite a sus intervenciones.
5. *Tipo tímido*. Se le harán preguntas fáciles y se le infundirá el sentido de la seguridad y la confianza en sí mismo; hay que decirle que *sí* siempre que sea posible; no se recomienda presionarlo.
6. *Tipo ausente*. Hay que actuar con él teniendo en cuenta su orgullo; conviene investigar su conocimiento y experiencia y utilizarlo como medio para que participe en la reunión.
7. *Tipo cerrado, refractario*. Conviene hacerle preguntas con tino e inducirlo a exponer ejemplos sobre los asuntos que más directamente le pueden interesar.

8. *Tipo pedante*. No es bueno criticarle; se sugiere usar la técnica del "sí..., pero..." para no reforzar su actitud.
9. *Tipo zorro*. Tratará de hacer caer en alguna trampa al que dirige al grupo. No hay que dejarse sorprender ni afrontarlo directamente; más bien habrá que dirigir sus objeciones hacia el grupo.

ANEXO 3. SESIÓN PLENARIA

Profesor:

1. Estimular la participación.
2. Moderar las intervenciones.
3. Escuchar y hacer reflexionar.
4. No resolver consultas personales en público.
5. Hacer pensar grupalmente.

Participante:

1. Solicitar la palabra levantando la mano.
2. Escuchar las opiniones ajenas.
3. Manifestar una actitud de apertura.
4. Animarse a participar.
5. Estudiar.
6. Pensar seriamente lo que va a decir.

ANEXO 4. HOJA DE EVALUACIÓN

Nombre y apellidos: _____

_____

Fecha: _____

Título de la sesión: _____

Nombre del expositor: _____

1. ¿Te parece que los ejemplos que ilustra el caso tienen relación con la realidad?

_____

2. ¿Fueron satisfactorios el ritmo y el contenido de la discusión?

_____

_____

3. ¿Pudiste participar siempre que así lo deseaste?

_____

¿Qué significa ser persona?

Objetivo:

Aclarar el concepto de persona como ser racional, libre, único e irrepetible, y cuya dignidad exige un trato respetuoso.

Esquemas de apoyo didáctico:

Esquemas 1, 2 y 3.

Desarrollo del tema (40 min):

¿Qué significa ser persona?[1]

1. Introducción: la persona, sujeto de la educación.
2. ¿Qué significa ser persona?

   - Su dignidad.
   - Elementos que componen a la persona.
   - Concepto.
   - El hombre es un ser de necesidades.
   - Función de sus cualidades específicas: inteligencia y voluntad.
   - El papel de la libertad.

3. Conclusión.

Descanso (20 min).

Trabajo en equipo (20 min):

Dividir el grupo en equipos de 10 a 12 personas para realizar el ejercicio que figura en la página 35.

Sesión plenaria (20 min):

Regresar a la sesión plenaria para obtener conclusiones.
El secretario de cada equipo dará las respuestas.
El profesor podrá reforzarlas con los comentarios de apoyo que figuran en la página 36, procurando que cada participante amplíe su reflexión sobre el tema.

---

[1] Se puede trabajar con el video 1, correspondiente al tema *Persona y familia*, lo puede adquirir en Av. Revolución 1387, Col. Campestre San Ángel, C.P. 01040, México, D. F. Tel. 662 89 66.

Esquemas de apoyo didáctico

Esquema 1:

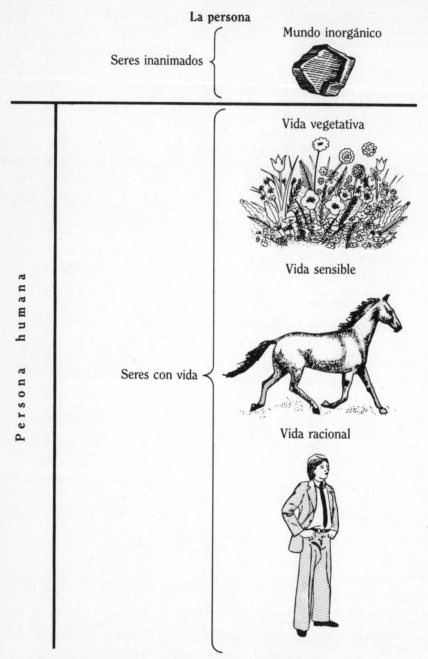

La persona

Mundo inorgánico

Seres inanimados {

Persona humana

Vida vegetativa

Vida sensible

Seres con vida {

Vida racional

El hombre se distingue de los demás seres del planeta por su inteligencia y por su voluntad libre.

Esquema 2:

El hombre: unidad orgánica, racional y social		
El hombre posee	*Por tanto, tiene*	*Todo esto configura su*
Un cuerpo	Sensaciones, tendencias instintivas, desarrollo orgánico, capacidad de movimiento, emociones.	Temperamento
	↑ Sentimientos ↓	
Inteligencia	Pensamientos, razonamientos, ideas, ideales.	Carácter
Voluntad libre	Decisiones, acciones.	Personalidad

Esquema 3:

PIRÁMIDE DE NECESIDADES SEGÚN A. MASLOW

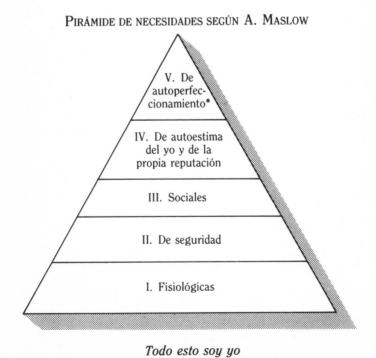

V. De autoperfec-cionamiento*

IV. De autoestima del yo y de la propia reputación

III. Sociales

II. De seguridad

I. Fisiológicas

Todo esto soy yo

* Maslow denomina a las necesidades superiores "de autorrealización"; pedagógicamente parece más conocimiento denominado "de autoperfeccionamiento".

INTRODUCCIÓN:
LA PERSONA, SUJETO DE LA EDUCACIÓN

Platón afirma que educar consiste en imprimir al cuerpo y al alma toda la perfección de que son capaces. Es obvio que el ser humano nace inacabado, y ello no sólo desde el punto de vista físico (ya que tienen que pasar muchos años para que el cuerpo llegue a desarrollarse en plenitud), sino también en los aspectos afectivo, intelectual y social. La vida debe ser progreso y vivir es perfeccionarse.

La acción educativa es, por tanto, una acción de ayuda en el proceso de la mejora personal del otro.

La persona, que es el sujeto de la educación, es quien se perfecciona. Existe, pues, una relación íntima entre *educación* y *persona*. Estrictamente sólo se puede educar a las personas. A los animales se les adiestra a base de estímulos, pero a las personas, en cambio, se les educa ayudándoles a utilizar su capacidad de razonamiento y a ejercitar su voluntad con responsabilidad.

Para comprender por qué sólo puede educarse a la persona, se requiere saber lo que es una persona humana.

¿QUÉ SIGNIFICA SER PERSONA?

Después del nacimiento de un niño sería muy útil ver aparecer el *manual de instrucciones*, es decir, un folleto explicativo que nos indicara su funcionamiento, sus características esenciales, las mejores condiciones para su desarrollo armónico, etc. La realidad es que nunca hemos visto ese manual, y ello a pesar de que un niño es algo mucho más delicado que una licuadora o un vehículo.

Su dignidad

La dignidad de la persona está enraizada en su calidad, por cuanto su naturaleza es superior a la del resto de los seres vivos.

A los seres humanos les corresponde llegar libremente a ser mejores, a edificarse a sí mismos y a crecer desde el interior valiéndose de ayudas externas, así como a hacer de toda su vida un proyecto de desarrollo y acceder a la perfección por medio de la práctica de las virtudes, es decir, de hábitos buenos.

Pues bien, vamos a profundizar en lo que es la persona a partir de los siguientes puntos:

1. ¿Cuáles son los elementos que la componen?
2. ¿Cómo se define?
3. ¿Qué cualidades la distinguen de los demás seres?

ELEMENTOS QUE COMPONEN A LA PERSONA

El hombre participa de la naturaleza de los seres puramente materiales, como son las rocas. Así, podemos definirlo como todo aquello que ocupa un lugar en el espacio, si bien el hombre es algo más que pura materia.

El hombre también participa de la naturaleza de los vegetales, ya que como ellos nace, crece, se reproduce y muere. Pero, evidentemente, el ser humano no es sólo un ser vegetal, sino algo más.

El hombre también participa de la naturaleza de los animales, no sólo nace, crece, se reproduce y muere, sino que se desplaza y, como los animales, posee instintos y afectividad.

Pero además el hombre vive inmerso en el universo y su existencia está relacionada con los seres del macro y del microcosmos, de los cuales necesita para poder vivir: requiere aire y agua, animales y plantas, de modo que debe lograr el equilibrio ecológico indispensable para la supervivencia.

Percibimos, sin embargo, que el hombre es el ser más perfecto de la naturaleza debido a que es racional, es decir, por cuanto posee una inteligencia y una voluntad libre.

Los animales hacen cosas maravillosas, pero las hacen por instinto y siempre de la misma manera, la abeja, su panal; los castores, sus diques, y la golondrina su nido.

Sólo el hombre es capaz de pensar y de determinar el rumbo de su vida; sólo en él caben el progreso y la historia.

Existen estudios sorprendentes sobre la abeja o el delfín, pero sólo del hombre podemos escribir una biografía individual porque cada persona es única e irrepetible.

Por esta diferencia esencial con los demás seres que lo rodean, podemos afirmar que el hombre es el rey del universo, destinado a ordenarlo todo con su inteligencia y el trabajo de sus manos, por medio de la técnica y de la ciencia.

Su misión es ordenar, no manipular; de aquí la responsabilidad de una educación ecológica que ayude al hombre a vivir en armonía con la naturaleza para aprovecharla, no para explotarla irracionalmente.

CONCEPTO

De esta primera aproximación podemos concluir que el hombre es *persona*.

La persona es ese yo a quien atribuimos todo lo que hacemos y pensamos.

Como lo hemos visto, a pesar de la variedad de elementos que lo componen (físicos, psicológicos, intelectuales), el hombre posee una unidad de mando, es decir, un solo principio de operación. Por ejemplo, si en una tienda tropiezo por descuido con un jarrón y lo rompo, no se me ocurre decir "Yo no fui, fue mi pie". Es la persona quien responde por todas las acciones que realiza.

Cuando me duele una muela, *me duele a mí*, y por ello toda mi persona se ve afectada.

La persona es el yo que impera y actúa.

Del concepto de persona se deriva el término *personalidad*, de manera que decimos que tiene personalidad quien ha sabido ordenar todas sus tendencias bajo el mando único de la razón; en cambio, carece de personalidad quien se deja dominar por los caprichos momentáneos.

La racionalidad propia y exclusiva del hombre es lo que lo caracteriza, dándole ese rango superior al de los demás seres vivos.

EL HOMBRE ES UN SER DE NECESIDADES

Situado en el tiempo y en el espacio, el hombre se ve obligado a atender las exigencias de su propia naturaleza. Éstas se manifiestan en forma de *necesidades*. Mientras más básicas sean estas necesidades, ellas se expresarán con tanta mayor intensidad. Tenemos como ejemplo el hambre, el sueño o el dolor, los cuales resulta urgente satisfacer para asegurar la supervivencia.

Podemos clasificar las necesidades de la siguiente manera:

Necesidades fisiológicas

Las necesidades corporales se manifiestan en forma de sensaciones y de deseos, como el hambre, el sueño, el frío, etcétera.

De todos los seres vivos, el hombre es el que nace más desprotegido. Mientras los animales son capaces de ponerse de pie a los pocos minutos de haber nacido y de buscar por sí mismos el alimento, el bebé humano permanece indefenso, dependiendo de los demás para su alimentación, abrigo y cualquier otra clase de cuidados.

Las necesidades físicas pueden ser:

1. *Vitales primarias*, al nivel individual, tales como: comer, dormir, abrigarse, procurar la salud (por cuanto su descuido significa la muerte), etcétera.

2. *Vitales secundarias*, al nivel individual: la actividad sexual es una necesidad vital secundaria para el individuo, de tal manera que se puede prescindir de las relaciones sexuales temporal o indefinidamente. Sin embargo, la actividad sexual es una necesidad vital primaria para la especie humana, ya que de esta manera asegura su conservación.

La naturaleza, para asegurar la satisfacción de las necesidades vitales, procura el deseo que es previo a su satisfacción y el placer que acompaña a su satisfacción.

El placer es el resultado de una necesidad satisfecha, no un fin en sí mismo.

Buscar el placer como un fin en sí mismo rompe el equilibrio antropológico y puede traer graves consecuencias para la salud. Por ejemplo, comer y beber en exceso, únicamente por el placer que estos actos proporcionan, trae como consecuencia una serie de trastornos digestivos y de desequilibrios neuronales.

Por tanto, es indispensable respetar el funcionamiento biológico, utilizando cada órgano del cuerpo de acuerdo con su función. Cada aparato de nuestro organismo tiene su función específica. Así, el aparato digestivo tiene a su cargo la nutrición y el crecimiento; el aparato respiratorio oxigena la sangre y el aparato reproductor está ordenado al fin unitivo entre varón y mujer, cuyo objeto es la procreación.

Desordenar estas funciones constituye un atentado contra el equilibrio antropológico. No se puede alterar el funcionamiento del organismo sin ocasionar graves desequilibrios físicos, emocionales y sociales: el uso de drogas, el sida, el alcoholismo, y la desintegración familiar son algunas de las consecuencias de esta alteración.

Necesidades de seguridad

El requerimiento de seguridad se manifiesta en la necesidad de sentirse amado, comprendido y aceptado, y se expresa de forma distinta de acuerdo con el temperamento y el carácter de cada individuo.

Estas necesidades, si bien no se expresan con tanta urgencia como las físicas, no por eso son menos importantes para el desarrollo armónico del ser humano.

René Spitz, psicólogo estadounidense, realizó un estudio con niños de orfanatorios, quienes a pesar de tener satisfechas todas sus necesidades físicas carecían de afecto. Ello afectaba seriamente su bienestar general, llevando a algunos a la muerte.

El ser humano, para su equilibrio y su crecimiento armónico, no sólo necesita saberse amado, sino también

sentirse amado.

Con un amor que sea *afectivo y efectivo.*
¿Qué clase de amor es aquel que de alguna manera no se manifiesta sensiblemente ni se comunica?

FUNCIÓN DE LAS CUALIDADES ESPECÍFICAS DEL SER HUMANO: INTELIGENCIA Y VOLUNTAD

Necesidades sociales

Para la persona es indispensable pertenecer a un grupo: familia, sociedad, nación. . .

La persona es también un ser social porque es capaz de relacionarse con los demás y porque necesita de su ayuda.

No se puede entender a la sociedad sin la persona ni a la persona sin la sociedad. Por eso la persona es sujeto de derechos y deberes, sus actos tienen trascendencia y son de responsabilidad tanto personal como social.
Pertenecer a un grupo familiar es lo más natural para la persona, ya que la existencia humana tiene un carácter familiar, es decir, surge en el seno de esa comunidad primaria que es la familia.

Necesidades del yo: la autoestima y la propia reputación

El ser humano necesita amarse a sí mismo y saberse amado por quienes lo rodean. La valoración de sí mismo es el comienzo para la valoración de los demás.
Una parte del concepto que la persona tiene de sí misma surge de lo que los demás opinan de ella. Por eso, si se desea que un hijo tenga un buen hábito —por ejemplo, que sea ordenado, responsable o sincero—, hay que suponer en él esa virtud para que procure identificarse con las expectativas que de él se tienen.
Una de las frases más profundas que podemos decirle a otra persona es "Espero de ti" o "Creo en ti". Estas palabras motivan que nos aproximemos a lo que se espera de nosotros.

El niño trata de cumplir con las expectativas que se tienen de él.

Si lo que se espera del niño es negativo, entonces también identificará su actuación con esa expectativa.

Necesidades de autoperfeccionamiento

Por su inteligencia el hombre piensa, reflexiona, experimenta la necesidad de saber, de aprender y de descubrir la verdad.

Por su voluntad libre el ser humano tiende a conseguir aquello que su inteligencia le presenta como bueno.

La voluntad es como el motor de la inteligencia. Gracias a estas dos facultades el hombre es un ser abierto al universo, dado que cuenta con la posibilidad de *conocer* y de *querer*. Veamos un ejemplo, la piedra es un ser cerrado, hermético, incapaz de abrirse y de conocer. Por su parte, los animales poseen más apertura por medio de sus sentidos se ponen en contacto con el mundo exterior, e incluso son capaces de relacionarse como otros animales o con el hombre mediante expresiones de afecto o de agresividad. Sin embargo, estos seres permanecen dentro de los límites de la necesidad y del instinto. Así, si un tiburón se encuentra con Juanito nadando en el mar y no se lo come, ello no se debe a que el tiburón sea bueno, sino simplemente a que no tiene hambre o no se siente agredido.

El animal actúa siempre por el impulso más fuerte que le dicta su naturaleza irracional, trátese del hambre o del instinto de conservación de la especie.

Solamente el hombre, por la razón, es capaz de dar ese salto abismal al mundo del conocimiento y del amor y de superar la barrera del mundo de la necesidad.

1. El hombre satisface su hambre, pero es el único ser que ha desarrollado un arte culinario.
2. Se resguarda de la intemperie creando un espacio arquitectónico.
3. Procrea y, al procrear, ama y es capaz de establecer relaciones permanentes y de formar una familia, ya que el hombre tiene también necesidades sociales.

Como lo expresó *madame* Curie:

No podemos confiar en construir un mundo mejor sin mejorar a los individuos.

Con ese propósito, cada uno ha de esforzarse por alcanzar su propio perfeccionamiento aceptando, en el conjunto de la vida social, su parte de responsabilidad.

La persona es un ser de aportaciones y su máxima realización la alcanza al dar lo mejor de sí misma, ya sea por medio del arte, de la ciencia o del trabajo.

El papel de la libertad

Hemos dicho que la persona es un ser perfectible destinado a ser cada día mejor. Eso depende en gran parte del uso que se haga de la libertad.

El valor de una persona no depende de sus condiciones, sino de sus decisiones.

Víctor Frankl

Los grandes acontecimientos son el fruto de muchas decisiones tomadas en la estrechez de la vida cotidiana.

Una persona puede mejorar o deteriorarse día a día según el buen o el mal uso que haga de su libertad. Por la libertad la persona es dueña de sí misma y no es lícito *usarla* ni manipularla. Por esto a todos les repugna la esclavitud y el abuso, ya que éstos van en contra de la dignidad de la persona, quien es esencialmente libre.

CONCLUSIÓN

Éste ha sido un primer acercamiento al conocimiento de la persona. Se ha tratado de explicar que el ser humano (hombre o mujer) es el más perfecto del universo gracias a su inteligencia y a su voluntad libre.

La libertad no es posible sin el entendimiento. Para obrar por instinto no hace falta pensar lo que debemos o no debemos hacer; en cambio, para que un acto sea libre es preciso que sea deliberado, es decir, previamente pensado o meditado. Hace falta, por tanto, tener entendimiento para poder obrar con libertad.[2]

Esta superioridad del ser humano sobre los seres vegetales y los animales es lo que se llama *dignidad de la persona.*

Esta categoría o dignidad de toda persona es completamente independiente de la situación en que uno pueda hallarse y de las cualidades que

---

[2] A. Millán Puelles, *Persona humana y justicia social*, Minos, México, 1990, p. 13.

posea.[3] Dicha dignidad también la poseen las personas con deficiencias mentales o físicas.

Como es algo que existe en cualquier hombre, la dignidad de la persona no es superioridad de un hombre sobre otro, sino la de todo hombre, en general, por el solo hecho de ser tal.

Al ser la persona una unidad, se ha de atender a todas sus necesidades sin despreciar ninguna, tomando en cuenta que tener una auténtica personalidad consiste en ordenar todas las tendencias conforme a la razón.

Para realizarse como persona son indispensables el respeto y el cuidado del cuerpo, con todas sus funciones, procurando que cada una de ellas sea satisfecha de acuerdo con su finalidad específica.

La naturaleza está al servicio del hombre, por lo que es necesario preservar su armonía en lugar de manipularla o explotarla irracionalmente. Hay que buscar el equilibrio ecológico y cuidar el ambiente para que nuestro entorno también sea *humano*.

TRABAJO EN EQUIPO

Anotar delante de cada pregunta una *A* si la afirmación es aceptada por ti, y una *R* si es rechazada.

El trato personal consiste en:

1. Tomar en cuenta la opinión de los demás.
2. Insultar cuando no se entiende.
3. Imponer la opinión personal.
4. Saber escuchar.
5. Dejar que cada quien haga lo que quiera sin exigirle o corregirlo.
6. Crear un ambiente de confianza.
7. Favorecer que los alumnos lean todo lo que caiga en sus manos.
8. Orientar en la selección de las lecturas para que lean lo mejor.
9. Permitir que los niños den rienda suelta a los deseos.
10. Conceder caprichos.
11. Mirar a los ojos.
12. Imponer gustos.
13. Fundamentar lo que pienso y escuchar lo que piensan los demás.
14. Tratar mejor a quien aparenta *tener* más.
15. Imitar lo que hacen todos.
16. No expresar los sentimientos hacia los hijos o el cónyuge.
17. Apoyarse en los problemas.
18. Tratar a todos por igual.
19. Corregir en público a los niños.
20. Aceptar a los demás como son.

[3] *Ibid.*, p. 16.

21. Recalcar los defectos.
22. Compartir las experiencias con los demás.
23. No tolerar los defectos ajenos.
24. Favorecer el ejercicio de la voluntad.
25. Facilitar espacios exclusivos para cada uno en la medida de lo posible: cajón, armario, escritorio, etcétera.

COMENTARIOS DE APOYO A LA SESIÓN PLENARIA

Recuerda, la letra *A* significa aceptar y la *R* rechazar.

1. *A*   El hombre es un ser de aportaciones. Todos somos capaces de aportar algo valioso.
2. *R*   El insulto humilla y dificulta aún más la comprensión.
3. *R*   Es cerrarse a la convivencia y a posibles soluciones, quizá mejores que las nuestras.
4. *A*   Es señal de sabiduría oír siempre "las dos campanadas".
5. *R*   La exigencia positiva es parte del amor verdadero.
6. *A*   Confiar en el otro es la mejor motivación para que sea mejor.
7. *R*   La verdad es el *alimento* de la inteligencia. Hay que fomentar lecturas de calidad y con criterios rectos.
8. *A*   Hay tanto material impreso que la vida no da para leer todo lo que apetece; es necesario elegir lo más valioso.
9. *R*   El animal se mueve sólo por instintos y el hombre lo hace por la razón.
10. *R*   La falta de una exigencia razonable no ayuda a la persona a superarse.
11. *A*   La mirada es capaz de detectar los problemas a tiempo y de comunicar afectos profundos.
12. *R*   Es no tomar en cuenta que el *otro* tiene derecho a ser diferente.
13. *A*   No se trata de vencer por la fuerza, sino de convencer por la razón.
14. *R*   La persona vale por lo que *es*, no por lo que *tiene*.
15. *R*   Es propio de borregos, no de hombres.
16. *R*   No basta *saberse amado*: hay que *sentirse amado*.
17. *A*   Apoyarse en lo positivo.
18. *R*   Si las personas son distintas, entonces el trato ha de ser distinto, lo que no quiere decir despreciar o alabar.
19. *R*   La represión en público humilla y por tanto bloquea la capacidad de mejora.
20. *A*   Ayudarlo a superarse.
21. *R*   Es inútil apoyarse en errores o en defectos: hay que reforzar lo positivo.

22. *A*   La comunicación positiva enriquece.
23. *R*   El hombre no es perfecto, aunque sí es perfectible.
24. *A*   La voluntad se fortalece cuando obedece a los dictados de la razón y no a los del mero capricho.
25. *A*   Fomenta el orden y favorece el desarrollo de la intimidad personal.

3

Dimensión social de la persona: derechos fundamentales

Objetivos:

1. Reconocer los distintos derechos de la persona y el origen de los mismos.
2. Relacionar los derechos naturales con las garantías individuales.

Esquema de apoyo didáctico:

Esquema 1.

Desarrollo del tema (50 min):

Dimensión social de la persona: derechos fundamentales

1. Persona.
2. La sociabilidad.
3. Derecho y dignidad humana:

    - Bien común.
    - Derechos fundamentales.

4. Derecho público:

    - Garantías individuales.
    - Bienes amparados por las garantías individuales.

5. Los derechos de la familia.

Descanso (20 min).

Trabajo en equipo (20 min):

Analizar la lista de los derechos humanos y dar ejemplos concretos de los mismos.

Sesión plenaria (10 min):

Discusión en grupo que propicie la obtención de conclusiones personales sobre el tema.

Esquema de apoyo didáctico

Esquema 1:

DIGNIDAD HUMANA

El hombre es superior al resto de los seres vivos.

Hombre
- Sustancia individual
  - Único con:
    - Cuerpo.
    - Personalidad única.
      - Bienes necesarios:
        - Vida.
        - Salud.
        - Propiedades.
- De naturaleza racional
  - Inteligente y libre.
    - Seguridad.
    - Libertad.
    - Trato igual.
    - Sociabilidad.
    - Verdad.

Relaciones de justicia
1. Debe haber al menos dos hombres.
2. Cada uno debe respetar los derechos ajenos.
3. Todo hombre merece un trato humano.

Garantías individuales
El Estado se compromete a proteger y hacer cumplir ciertos derechos naturales. Se encuentran en la Constitución (Arts. 1-28).

Leyes y autoridades
Deberán considerar siempre el respeto a los derechos fundamentales para conseguir el progreso.

PERSONA

Para entender el tema de los derechos fundamentales del hombre es necesario repasar el concepto de persona.

Como ya se dijo antes, la persona es una sustancia individual de naturaleza racional.

Como *sustancia individual* cada hombre tiene un cuerpo y un modo de ser distinto. Ningún otro ser humano podrá remplazarlo ni conocer toda su intimidad.

Como *naturaleza racional* el hombre posee dos potencias que lo hacen superior al resto de los seres materiales: la inteligencia y la voluntad. Con base en ellas se desarrolla como un ser único e irrepetible.

El hombre es libre cuando actúa usando su inteligencia y disponiendo de su voluntad para obrar sin que ninguna fuerza exterior lo obligue.

Los actos humanos son libres cuando han sido deliberados por la inteligencia y ejecutados por la voluntad.

El hombre actúa con libertad incluso cuando se ve limitado por leyes justas; lo contrario sería libertinaje.

LA SOCIABILIDAD

Otra característica del hombre es su sociabilidad. Sin la ayuda de los demás la persona no se desarrolla plenamente. El hombre aspira a ser útil y a darse a la sociedad para crecer, mejorándola a su vez.

La sociabilidad es producto de su ser material y de su racionalidad.

Es indispensable para el hombre vivir en sociedad para satisfacer sus necesidades materiales, inmateriales y para procrear.

Las *necesidades inmateriales* del hombre son: conocer la verdad, dar lo propio, comunicarse, trasmitir la cultura y amar y ser estimado y las *necesidades materiales* son: alimentación, vivienda, vestido y transporte.

DERECHO Y DIGNIDAD HUMANA

La persona es digna por la naturaleza racional que posee, la cual es superior a la naturaleza animal (*cfr. La familia, valores y autoridad*, vols. 1 y 2, cap. 2).

Los derechos fundamentales de la persona se desprenden de su dignidad, es decir, de la superioridad de su naturaleza respecto a los demás seres. El respeto a esos derechos parte de la idea de justicia: "La constante y perpetua voluntad de dar a cada quien lo suyo."[1]

Cada individuo tiene derecho a que se le trate con justicia, es decir, a que se respeten sus derechos naturales, y también tiene la obligación de respetar los de los demás. Estos derechos y deberes son universales y no se puede renunciar a ellos.

BIEN COMÚN

El bien común se traduce como el bien que puede ser compartido por todos y cada uno de los miembros de una comunidad.

---

[1] Ulpiano, citado en J. Arce, *De los bienes*, Porrúa, México, 1988, p. 16.

La función de los gobernantes y de las leyes es lograr el bien común de la sociedad. El bien común lleva a beneficiar a todos y a respetar la dignidad de cada uno de los individuos que componen la nación.

El bien común es superior a los bienes individuales porque supone un beneficio para todos y no lesiona la dignidad humana. Es, por tanto, un bien social. Por ejemplo: un parque es un bien común porque contiene áreas verdes para la recreación de todos y no puede sacrificarse en beneficio de una persona o de un grupo particular.

Se puede perseguir un bien social y negar al mismo tiempo ciertos derechos fundamentales. Es el caso de China, donde el Estado limita el número de hijos de los ciudadanos y con ello obstaculiza la libertad de los esposos.

Derechos fundamentales

A continuación se analizan los valores que ampara el derecho cuando contempla el concepto de persona:

Sustancia individual

- Se debe respetar la integridad del cuerpo.
- Se prohíbe mutilar las partes corporales y comerciar con ellas. Se exige el respeto a la vida.
- Se prohíbe el aborto, la eutanasia y las agresiones corporales.
- Se ha de respetar la intimidad. No se puede obligar a nadie a manifestar su interioridad.
- Debe reconocerse la propiedad de cada autor respecto a sus obras.
- El hombre debe poseer un mínimo de cosas materiales para vivir dignamente.

Naturaleza racional

Por su capacidad de conocer y por su libertad el ser humano tiene derecho a:

1. La verdad y a que se le informe con veracidad.
2. Actuar voluntariamente.
3. Elegir su ocupación.
4. Expresar sus ideas.
5. Practicar su religión.

El hombre tiene derecho a:

1. Formar una familia y a decidir el número de hijos que tendrá y el tipo de educación que les dará.
2. Que se le guarde fidelidad.

Sociabilidad

3. Ser tratado de igual forma que los demás.
4. Participar en las decisiones políticas.
5. Ser respetado por la sociedad en su persona y en sus propiedades o posesiones lícitas.
6. Asociarse con otros.

Este esquema, desde luego, no pretende agotar todos los derechos de la naturaleza humana.

DERECHO PÚBLICO

Las leyes han de proteger a los ciudadanos y a los extranjeros y buscar el bien de la sociedad.

La fuerza obligatoria de las leyes se respalda con sanciones y obliga a los miembros de un Estado en virtud de su soberanía.[2]

GARANTÍAS INDIVIDUALES

La intervención del Estado es necesaria para proteger los derechos de los individuos por medio de leyes llamadas *garantías individuales,* es decir, para asegurarles el respeto de los derechos establecidos en ellas. El habitante de una nación tiene la facultad de exigir al gobierno el cumplimiento de esas garantías.

La Constitución enuncia algunos derechos de la persona; sin embargo, el ciudadano no debe desentenderse de la responsabilidad de especificar mejor aún las garantías.

BIENES AMPARADOS POR LAS GARANTÍAS INDIVIDUALES

A continuación se exponen algunos de los bienes amparados por los artículos 1-28 de la *Constitución Política de los Estados Unidos Mexicanos*:

La vida. Protege al no nacido y a cualquier persona con signos vitales. Si no se protegiera la vida humana los demás derechos no tendrían razón de ser. (Arts. 14 y 22 ley reglamentaria: *Código Civil.*)

Integridad corporal. Respeta el derecho a la salud física, prohíbe penas de mutilación y torturas. Niega la comercialización del cuerpo humano con fines de lucro. (Arts. 2, 5 y 14.)

Libertad. Respeta la actuación libre de cada persona dentro del derecho vigente. Retira esa garantía cuando la persona ha desobedecido las leyes. La

[2] Se entiende por "soberanía" la facultad que tiene cada pueblo para autogobernarse.

castiga con la pena de prisión o prohibiéndole dedicarse a ciertas ocupaciones. Respeta la libertad de elección de trabajo, religión, expresión de ideas, reunión, educación de los hijos. También ampara la libertad de transitar por el territorio nacional, de comercio, de voto y de elegir democráticamente la forma de gobierno. (Arts. 2, 5, 7, 9, 10, 11, 14, 16 y 24.)

Seguridad jurídica. El hombre tiene derecho a ser respetado en su persona, papeles, posesiones y propiedades. Y únicamente se permite molestarle cuando se ha de realizar una investigación legal, autorizada por un juez competente.

Todo hombre tiene derecho a defenderse en un juicio cuando se le acusa de haber violado las leyes. Se establecen tribunales previos al juicio para evitar la manipulación del derecho y se protege a la persona de posibles abusos, juzgándola siempre de acuerdo con las leyes vigentes al momento de la presunta violación. (Arts. 1, 13, 14, 16-21, 23, 26 y 27.)

Igualdad. Prohíbe la esclavitud en el territorio nacional. Reconoce igualdad ante la ley a hombres y mujeres. (Arts. 1, 2, 4, 12 y 13.)

Propiedad. Este derecho puede ser delimitado por el Estado, quien debe ordenarlo al bien común. A veces limita la propiedad a ciertas extensiones y a ciertas explotaciones. Otras veces el Estado retira esa garantía para obtener un beneficio público, por ejemplo, con la expropiación, cuando es en beneficio del bien común. Ordinariamente los particulares gozan de este derecho porque el respeto a la propiedad ayuda a la realización del individuo y lo motiva para trabajar y contribuir al progreso nacional. (Arts. 27 y 14.)

¿Cuándo podría el gobierno suspender las garantías individuales? En los casos de urgencia o de peligro inminente, como son guerras, terremotos, inundaciones, etc., para no obstaculizar los planes gubernamentales y así darle rápida solución al problema. Sin embargo, la suspensión de las garantías siempre es temporal.

LOS DERECHOS DE LA FAMILIA

La familia es una comunidad de personas, la célula social más pequeña y, como tal, es una institución fundamental para la vida de toda sociedad.

La familia como institución, ¿qué espera de la sociedad? Ante todo, que sea reconocida en su identidad y aceptada en su naturaleza de sujeto social. Esta última se relaciona con la identidad propia del matrimonio y la familia.

El matrimonio, base de la institución familiar, está formado por la alianza entre un varón y una mujer, por la que forman un consorcio (unión de personas) para toda la vida, ordenado al bien de los esposos y de los hijos.

La familia es una sociedad soberana a su manera, aunque condicionada en varios aspectos. Por eso se habla de los derechos de la familia, los cuales están íntimamente relacionados con los derechos del hombre. Entre esos derechos está el de la procreación responsable y la educación de los hijos.

La nación, el Estado y las comunidades internacionales deben tener en cuenta la existencia de la familia.

Existe un vínculo casi orgánico entre familia y nación. El vínculo de la familia con la nación se basa ante todo en la participación en la cultura. En cierto sentido, los padres tienen hijos también para la nación, para que sean miembros suyos y para que participen de su patrimonio histórico y cultura.

Desde el principio, la identidad de la familia se va delineando sobre la base de la identidad de la nación a la que pertenece.

Al participar del patrimonio cultural de la nación, la familia contribuye a la soberanía específica que se deriva de las propias cultura y lengua.

El Estado se distingue de la nación por su estructura menos "familiar", ya que está organizado según un sistema político y de forma más burocrática.

Pero la familia no dispone de todos los medios necesarios para alcanzar sus propios fines, así sea en el campo de la instrucción y de la educación. Allí donde la familia no es autosuficiente el Estado debe intervenir. Pero una excesiva intervención del Estado resultaría perjudicial.

El desempleo es una de las amenazas más serias para la vida familiar. Supone un reto para la política de cada Estado y un punto de reflexión para la iniciativa privada.

También se ha de considerar la importancia y el peso del trabajo de la mujer dentro del hogar. Esta actividad debe ser reconocida y valorizada al máximo.[3]

La fatiga de la mujer después de haber dado a luz un hijo y cuidarlo, especialmente en los primeros años, es tan grande que se le puede comparar con cualquier trabajo profesional. En Francia, la maternidad tiene un reconocimiento económico por los esfuerzos que implica.

Una nación verdaderamente soberana y fuerte está formada siempre por familias fuertes, conscientes de su misión en la historia.

TRABAJO EN EQUIPO

Leer, analizar y dar ejemplos concretos de la siguiente lista de:

LOS DERECHOS DE LA FAMILIA[4]

Preámbulo

Considerando que:

[3] Juan Pablo II, *Carta a la familia*, Documentos pontificios núm. 17, Roma, 1985.
[4] *Cartas de los derechos de la familia*, documento publicado por la Organización de las Naciones Unidas, Nueva York, s/f.

1. los derechos de la persona, aunque expresados como derechos del individuo, tienen una dimensión fundamentalmente social que halla su expresión innata y vital en la familia;

2. la familia está fundada sobre el matrimonio, esa unión de vida complemento entre un hombre y una mujer, que está constituida por el vínculo del matrimonio libremente contraído, públicamente afirmado, y que está abierta a la trasmisión de la vida;

3. el matrimonio es la institución natural a la que está confiada la misión de trasmitir la vida;

4. la familia, sociedad natural, existe antes que el Estado o cualquier otra comunidad y posee unos derechos propios que son inalienables;

5. la familia constituye, más que una unidad jurídica, social y económica, una comunidad de amor y de solidaridad, insustituible para la enseñanza y trasmisión de los valores culturales, éticos, sociales, espirituales y religiosos, esenciales para el desarrollo y bienestar de sus propios miembros y de la sociedad;

6. la familia es el lugar donde se encuentran diferentes generaciones y donde se ayudan mutuamente a crecer en sabiduría humana y a armonizar los derechos individuales con las demás exigencias de la vida social;

7. la familia y la sociedad, vinculadas mutuamente por lazos vitales y orgánicos, tienen una función complementaria en la defensa y promoción del bien de la humanidad y de cada persona;

8. la experiencia de diferentes culturas a través de la historia ha mostrado la necesidad que tiene la sociedad de reconocer y defender la institución de la familia;

9. la sociedad, y de modo particular el Estado y las organizaciones internacionales, deben proteger la familia con medidas de carácter político, económico, social y jurídico que contribuyan a consolidar la unidad y la estabilidad de la familia para que pueda cumplir su función específica;

10. los derechos, las necesidades fundamentales, el bienestar y los valores de la familia, por más que se han ido salvaguardando progresivamente en muchos casos, con frecuencia son ignorados y no raras veces minados por leyes, instituciones y programas socioeconómicos, y que

11. muchas familias se ven obligadas a vivir en situaciones de pobreza que les impiden cumplir su misión con dignidad.

A continuación se presenta una relación de los derechos de la familia:

I. Todas las personas tienen el derecho de elegir libremente su estado de vida y, por tanto, tienen derecho a contraer matrimonio y establecer una familia o a permanecer célibes.

Todos aquellos que quieren casarse y establecer una familia tienen el derecho de esperar de la sociedad las condiciones educativas, sociales y económicas que les permitan ejercer su derecho a contraer matrimonio con toda madurez y responsabilidad.

El valor institucional del matrimonio debe ser reconocido por las autoridades públicas; la situación de las parejas no casadas no debe considerarse al mismo nivel que el matrimonio debidamente contraído.

II. El matrimonio no puede ser contraído sin el libre y pleno consentimiento de los esposos, debidamente expresado.

Debe ser evitada toda presión que tienda a impedir la elección de una persona concreta como cónyuge.

Los esposos, dentro de la natural complementariedad que existe entre hombre y mujer, gozan de la misma dignidad y de iguales derechos respecto al matrimonio.

III. Los esposos tienen el derecho inalienable de fundar una familia y decidir sobre el intervalo entre los nacimientos y el número de hijos a procrear, teniendo en plena consideración los deberes para consigo mismos, para con los hijos ya nacidos, la familia y la sociedad, dentro de una justa jerarquía de valores.

Las actividades de las autoridades públicas o de las organizaciones privadas que tratan de limitar de algún modo la libertad de los esposos en las decisiones acerca de sus hijos constituyen una ofensa grave a la dignidad humana y a la justicia.

IV. La vida humana debe ser respetada y protegida absolutamente desde el momento de la concepción.

El aborto es una violación directa del derecho fundamental a la vida del ser humano.

El respeto por la dignidad del ser humano excluye toda manipulación experimental o explotación del embrión humano.

Los niños, tanto antes como después del nacimiento, tienen derecho a una especial protección y asistencia, al igual que sus madres durante la gestación y durante un periodo razonable después del alumbramiento. Todos los niños, nacidos dentro o fuera del matrimonio, gozan del mismo derecho a la protección social para su desarrollo personal integral.

Los huérfanos y los niños privados de la asistencia de sus padres o tutores deben gozar de una protección especial por parte de la sociedad. En lo referente a la tutela o adopción, el Estado debe procurar una legislación que facilite a las familias idóneas acoger a niños que tengan necesidad de cuidado temporal o permanente y que al mismo tiempo respete los derechos naturales de los padres.

Los niños minusválidos tienen derecho a encontrar en casa y en la escuela un ambiente conveniente para su desarrollo humano.

V. Por el hecho de haber dado la vida a sus hijos, los padres tienen el derecho originario, primario e inalienable de educarlos; por esta razón ellos deben ser reconocidos como los primeros y principales educadores de sus hijos.

Los padres tienen el derecho de que sus hijos no sean obligados a seguir cursos que no están de acuerdo con sus convicciones. En particular, la educación sexual —que es un derecho básico de los padres— debe ser impartida bajo su atenta guía, tanto en casa como en los centros educativos elegidos y controlados por ellos.

El derecho primario de los padres para educar a sus hijos debe ser tenido en cuenta en todas las formas de colaboración entre padres, maestros y autoridades escolares, y particularmente en las formas de participación encaminadas a dar a los ciudadanos una voz en el funcionamiento de las escuelas y en la formulación y aplicación de la política educativa.

La familia tiene el derecho a esperar que los medios de comunicación social sean instrumentos positivos para la construcción de la sociedad y que fortalezcan los valores fundamentales de la familia. Al mismo tiempo, ésta tiene derecho a ser protegida adecuadamente, en particular sus miembros más jóvenes, contra los efectos negativos y los abusos de los medios de comunicación.

VI. La familia tiene el derecho de existir y de progresar como familia.

Las autoridades públicas deben respetar y promover la dignidad, justa independencia, intimidad, integridad y estabilidad de cada familia.

El divorcio atenta contra la institución misma del matrimonio y de la familia.

VII. Cada familia tiene el derecho de vivir libremente su propia vida religiosa en el hogar, bajo la dirección de los padres, así como de profesar públicamente su fe y propagarla, participar en los actos de culto público y en los programas de instrucción religiosa libremente elegidos, sin sufrir discriminación alguna.

VIII. La familia tiene el derecho de ejercer su función social y política en la construcción de la sociedad.

Las familias tienen el derecho de formar asociaciones con otras familias e instituciones con el fin de cumplir la tarea familiar de manera apropiada y eficaz, así como defender los derechos, fomentar el bien y representar los intereses de la familia.

Las familias tienen derecho a unas condiciones económicas que les aseguren un nivel de vida apropiado a su dignidad y a su pleno desarrollo. No se les puede impedir que adquieran y mantengan posesiones privadas que favorezcan una vida familiar estable, y las leyes referentes a herencias o trasmisión de propiedad deben respetar las necesidades y los derechos de los miembros de la familia.

Las familias tienen derecho a medidas de seguridad social que tengan presentes sus necesidades, especialmente en caso de muerte prematura de uno o ambos padres, de abandono de uno de los cónyuges, de accidente, enfermedad o invalidez, en caso de desempleo, o en cualquier caso en que la familia tenga que soportar cargas extraordinarias en favor de sus miembros por razones de ancianidad, impedimentos físicos o psíquicos, o por la educación de los hijos.

Las personas ancianas tienen el derecho de encontrar dentro de su familia o, cuando esto no sea posible, en instituciones adecuadas, un ambiente que les facilite vivir sus últimos años serenamente, ejerciendo una actividad compatible con su edad y que les permita participar en la vida social.

Los derechos y las necesidades de la familia, en especial el valor de la unidad familiar, deben tenerse en consideración en la legislación y en las políticas penales, de modo que el detenido permanezca en contacto con su familia y que ésta sea adecuadamente socorrida durante el periodo de la detención.

IX. Las familias tienen derecho a un orden social y económico en el que la organización del trabajo permita a sus miembros vivir juntos, y que no sea obstáculo para la unidad, bienestar, salud y estabilidad de la familia, ofreciendo también la posibilidad de un sano esparcimiento.

La remuneración por el trabajo debe ser suficiente para fundar y mantener dignamente a la familia, sea mediante un salario adecuado, llamado "salario familiar", sea mediante otras medidas sociales, como los subsidios familiares o la remuneración por el trabajo en casa de uno de los padres, y debe ser tal que las madres no se vean obligadas a trabajar fuera de casa en detrimento de la vida familiar y en especial de la educación de los hijos.

El trabajo en casa de la madre debe ser reconocido y respetado por su valor para la familia y la sociedad.

X. La familia tiene derecho a una vivienda decente, apta para la vida familiar y proporcionada al número de sus miembros, en un ambiente físicamente sano que ofrezca los servicios básicos para la vida de la familia y de la comunidad.

XI. Las familias de emigrantes tienen derecho a la misma protección que se da a las otras familias.

Las familias de los inmigrantes tienen el derecho de ser respetadas en su propia cultura y recibir el apoyo y la asistencia en orden a su integración dentro de la comunidad a cuyo bien contribuyen.

Los trabajadores emigrantes tienen el derecho de ver reunida su familia lo antes posible.

Los refugiados tienen derecho a la asistencia de las autoridades públicas y de las organizaciones internacionales para que se les facilite la reunión de su familia.

Segunda parte

La familia y las influencias ambientales

Análisis de la situación familiar

Objetivos:

1. Reflexionar de manera general sobre los elementos constitutivos de la familia, las relaciones que se dan entre ellos y su repercusión en la acción educativa.
2. Introducir al tema de la desintegración familiar y algunas de sus operaciones.

Esquema de apoyo didáctico:

Esquema 1.

Desarrollo del tema (50 min):

Análisis de la situación familiar

1. Introducción.
2. Análisis de la propia situación.
3. Relación conyugal: los padres son los primeros responsables.
4. Situación de los hijos como segundos responsables.
5. Análisis del entorno familiar.
6. Cuestionario final.

Descanso (20 min).

Trabajo en equipo (20 min):

Responder las preguntas del cuestionario final que se encuentra en la página 59.

Sesión plenaria (10 min):

Exposición de conclusiones por parte de un miembro de cada equipo como base para que cada participante enriquezca sus respuestas personales.

Esquema 1:

En el siguiente cuadro figuran los elementos constitutivos de la familia:

Personales:	*Materiales*:	*Formales*:
Padre.	Vivienda.	Autoridad.
Madre.	Ambiente decorativo.	Relaciones conyugales.
Hijos.	Utensilios y objetos	Relaciones
	de uso común.	paterno-filiales.
Abuelos.		Relaciones fraternales.
Tíos.		
Primos.		
Parientes.		

Toda la acción educativa se puede reducir a dos elementos:

Cariño:	*Autoridad*:
1. Demostrar el cariño.	1. Saber guiar.
2. Comprender a los hijos.	2. Tener capacidad de servicio.
3. Conocerlos en la convivencia.	3. Exigir lo razonable.
4. Dedicarles tiempo.	4. Hacer cumplir.
5. Observarlos.	5. Sostenerse en lo prometido.
6. Aconsejarlos.	6. Tener un mínimo de reglas.
7. Saber pedirles perdón y	7. Saber a qué atenerse.
perdonarlos; procurar entender sus	8. Tener flexibilidad.
gustos.	
8. Educarlos para que sean mejores y	
ayuden a los demás a serlo.	

INTRODUCCIÓN

El fortalecimiento de la familia es la solución para la crisis desintegradora que vive la sociedad actual: abandono del hogar, ruptura del vínculo matrimonial de hecho y de derecho, drogadicción, alcoholismo, niños abandonados, etc. Todo esto desaparecería si la familia respondiera a su función original de ser realmente:

1. La primera escuela de valores humanos y sociales.
2. Una comunidad de vida y amor.
3. Un centro forjador de personas.

4. La comunidad instituida por la naturaleza misma para el cuidado de las necesidades más elementales de la vida diaria.

Para lograr lo anterior hay que empezar por fortalecer a la propia familia, analizando su situación concreta, pues entonces se estará fortaleciendo a toda la sociedad mexicana.

La mayor parte de las quejas, insatisfacciones, peleas y disoluciones conyugales o familiares son el resultado de la falta de aceptación de la situación real. Son reacciones comprensibles, pero carecen de un plan de acción positiva para:

1. Cambiar lo que se puede cambiar.
2. Aceptar lo que no se puede modificar.
3. Distinguir entre ambos para vivir en paz.

ANÁLISIS DE LA PROPIA SITUACIÓN

El análisis de nuestra situación pretende ser una motivación para ir resolviendo los problemas de la propia familia, entendiendo por "problemas" las situaciones que se pueden mejorar.

Lo primero que hay que tomar en cuenta es lo siguiente:

1. Todas las familias tienen problemas, es decir, atraviesan por situaciones que pueden mejorarse, pues el hombre es perfectible , y la familia y sus relaciones también lo son. No se puede realizar en un solo acto todo lo que se es en potencia; se necesita de tiempo, del deseo positivo de hacerlo y del esfuerzo animoso y constante.

2. Se tiende a destacar lo negativo y no lo positivo, tanto en la propia familia como en las de los demás. Si en una hoja blanca hay una pequeña mancha negra, se tiende a pensar sólo en ella y no se ve el resto. En los conflictos familiares puede suceder lo mismo: se deja de ver todo lo bueno que hay y se centra la atención en lo que está funcionando mal.

3. En lugar de enfocar los hechos reales, se enjuician y se exageran las situaciones de conflicto. Por ejemplo, se dice: "Es un flojo", cuando el hecho es que se levantó tarde el domingo, y así de muchas otras cosas.

4. Para hacer un buen análisis se debe contar con información procedente de distintas fuentes; así se enriquecerá con las observaciones de varias personas: el maestro, algún amigo prudente, la opinión de los hijos y la del cónyuge, etcétera.

El análisis empieza con el conocimiento de uno mismo dentro del contexto familiar, tomando en cuenta que se puede tener una doble vida y no ser el mismo en la casa que fuera de ella. Lo más significativo de una persona se muestra mediante sus relaciones con los demás. Estas relaciones pueden ser: conyugales, con los hijos, con la escuela, en el trabajo, etcétera.

Cada área es un campo de posible desarrollo: éste debe ser equilibrado y no unilateral; por ejemplo, realizarse únicamente en el trabajo representa una unilateralidad.

Las circunstancias pueden limitar la actividad de una persona y afectar temporalmente algún aspecto, como sería el caso de una madre con varios hijos, enferma y sin apoyo.

RELACIÓN CONYUGAL: LOS PADRES SON LOS PRIMEROS RESPONSABLES

El matrimonio bien relacionado es la base y el sustento de la familia. De su buen funcionamiento depende no sólo el mejoramiento personal de los cónyuges, sino también la seguridad y el equilibrio que se debe dar a los hijos. La mejor manera de educar a los hijos es por medio de una buena relación conyugal. Para esto es preciso:

1. Buscar la causa de las tensiones que impiden el mejoramiento personal y el del cónyuge. Si se vive en una situación conflictiva, hay que tener la iniciativa para superarla; saber dar y saber recibir, comprender y exigir.

2. La base de la relación conyugal es el respeto en su sentido más profundo. Éste consiste en considerar al cónyuge como una persona con capacidad para ser mejor y con posibilidades de superarse. Negarle al otro esta posibilidad es la peor falta de respeto, es una humillación.

Las relaciones conyugales han de ser vividas atendiendo al modo de ser de cada uno. Para ello conviene:

a) Analizar las actitudes que deben rectificarse a partir del conocimiento recíproco.
b) Ver en qué es necesario ponerse de acuerdo.
c) Reflexionar acerca del tiempo que llevan unidos.
d) Aprender a manejar los conflictos para sacarles partido.
e) Esforzarse por lograr la comunicación positiva.
f) Detectar los obstáculos en las relaciones conyugales.
g) Buscar la unidad y cierta autonomía en el matrimonio.

3. Si la relación conyugal no crece, entonces disminuirá la unión de los esposos. Ese desarrollo se consigue por medio del esfuerzo de ambos. Resolver determinado problema o encontrar la clave para lograr un cambio de actitud depende del esfuerzo que haga cada uno. La solución está en sus manos.

Superar los obstáculos para lograr un buen matrimonio produce satisfacción personal, misma que facilita el clima de entrega mutua que alimenta el amor de los esposos. En la vida en común de marido y mujer tiene que cultivarse el amor y el cariño mutuos en un continuo saber dar, saber recibir y saber perdonar, comprender y exigir para que exista crecimiento personal.

La máxima prueba de amor es el dolor, se ha de dar aun cuando en determinadas circunstancias no sea fácil, cueste trabajo o duela.

En la vida en común hay áreas que se comparten y otras que son exclusivas de cada uno.

La autonomía en el matrimonio es expresión de respeto.

En el matrimonio debe haber zonas de unidad y zonas de autonomía.

Para que el matrimonio se lleve bien se han de respetar la libertad y la autonomía del cónyuge en ciertas áreas: amistades, aficiones, trabajo, etc. Esta es otra manera de mantener la unidad y de manifestar respeto a la libertad del otro.

Lo mismo sucede en las relaciones con los hijos. Analicémoslas esquemáticamente:

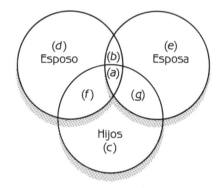

a) Actividades en que intervienen padres e hijos.
b) Actividades de los cónyuges.
c) Actividades de los hijos.
d) Actividades del esposo.
e) Actividades de la esposa.
f) Actividades de los hijos con su padre.
g) Actividades de los hijos con su madre.

SITUACIÓN DE LOS HIJOS COMO SEGUNDOS RESPONSABLES

Al pensar en el desarrollo de los hijos se debe tomar en cuenta su libertad. Debe educárseles en la libertad y para la libertad, para lo cual se necesita establecer un plan de acción con objetivos para cada hijo, a corto, mediano y largo plazos. Para ello debemos conocer a nuestros hijos mediante la observación y la búsqueda de información proveniente de personas que los conozcan bien, como son sus maestros.

Es recomendable conocerlos en las relaciones con sus padres, sus hermanos, sus amigos, su ambiente, etc., respetando a la vez su intimidad.

Se ha de empezar por aceptar a cada hijo como es, con sus cualidades y sus defectos.

Al analizar a los hijos se procurará evitar dos errores:

1. La proyección de uno mismo, que se manifiesta en deseos de que mi hijo sea igual que yo, o sea lo que yo no soy, o que tenga lo que yo no tuve, etcétera.
2. La tendencia a querer tener hijos perfectos. Hay que aceptarlos como son, pero a la vez hay que establecer objetivos concretos para cada uno como son las pequeñas obligaciones relativas al orden, la sinceridad y la generosidad.

Los padres deben ser capaces de analizar su situación familiar y la de cada persona en particular. Ese análisis tiene por objeto:

1. Detectar lo esencial.
2. Encontrar los problemas: no estudia, no obedece, etcétera.
3. Buscar soluciones apoyándose en lo positivo.
4. Elegir lo más conveniente para el hijo.
5. Lograr que adopte un plan de acción para mejorar.

Necesitamos aprovechar las capacidades y las cualidades de nuestros hijos para ayudarlos a mejorar y neutralizar lo negativo. Los padres deben saber qué es lo característico de cada edad, de ser "el mayor", el hijo de "en medio", conocer su carácter, etcétera.

ANÁLISIS DEL ENTORNO FAMILIAR

Es necesario buscar un equilibrio en las relaciones con la sociedad y en el trabajo.

1. *Las relaciones con la sociedad.* En el hogar florece la intimidad a la vez que la apertura: hay que abrirse a los amigos y al ambiente, evitando o neutralizando las influencias negativas.
2. *Las relaciones en el trabajo.* Hay personas que buscan su autorrealización únicamente en el trabajo y no le dan mucha importancia a la

familia. Otras, por estar insatisfechas en su trabajo, con frecuencia buscan compensaciones en el hogar, exigiendo más de lo debido y adoptando posturas y actitudes negativas, tales como el autoritarismo despótico.

CUESTIONARIO FINAL

1. Enumera tres factores negativos y tres positivos que influyen en la familia.
2. ¿Qué debe hacerse para no exagerar las situaciones negativas al analizar a la propia familia?
3. ¿Cuándo debe haber unidad y cuándo cierta autonomía dentro de las relaciones conyugales?
4. Respecto a los hijos, ¿cómo lograr tener una familia unida? Es decir, ¿en qué debe cifrarse la unidad y cuándo deben garantizarse el respeto y la independencia?
5. Las influencias externas (amigos, televisión, cine, moda, etc.), ¿deben controlarse? ¿Por qué? Explica cómo.

Las ideologías y su influencia en la familia[1]

Objetivos:

1. Reflexionar sobre las ideologías que pueden degradar al ser humano.
2. Analizar por qué las ideologías son reduccionistas.

Esquema de apoyo didáctico:

Esquema 1.

Desarrollo del tema (50 min):

Las ideologías y su influencia en la familia

1. Dificultades y ayudas.
2. Ámbito familiar.
3. ¿Qué es una ideología?
4. Persona e ideologías.
5. Visión materialista del hombre.
6. ¿Influyen en la familia las ideologías?
7. Algunas propuestas.

Descanso (20 min).

Trabajo en equipo (20 min):

1. Destacar cuál es la principal ideología que prevalece en el ambiente en el que uno se desenvuelve.
2. ¿Cómo repercute en nuestras vidas?
3. Proponer soluciones para contrarrestar el daño que puede hacer.

Sesión plenaria (10 min):

Comentarios de las propuestas de los equipos.

[1] Otero, *Influencia de las ideologías en la familia*, documento de orientación familiar núm. 477, elaborado por el departamento de Investigación del Instituto de Ciencias de la Educación, Universidad de Navarra, Pamplona, 1980.

Esquema de apoyo didáctico

Esquema 1:

1. ¿Qué es una ideología?

   Una ideología es un sistema coherente de ideas establecido desde instancias distintas a la propia realidad. Pretende conformar la realidad según la concepción que propugna. La naturaleza de las cosas queda sometida a una servidumbre respecto a las instancias que determinan la ideología (intereses de grupo o personales). Es evidente que los intereses, siempre parciales, no pueden abarcar toda la realidad. Las ideologías son, por tanto, reduccionistas.

2. El reduccionismo:

   a) Envilece.
   b) Es una forma de violencia.
   c) Ve un solo punto de vista.
   d) Busca el poder, no la verdad.
   e) Quita valor a lo humano.
   f) Reduce al hombre a un solo aspecto de su riqueza personal.

3. Se puede engañar a las personas cuando:

   a) Las autoridades son capaces de responder a las cuestiones centrales de la existencia. "Si no sé quién soy, no sé a dónde voy."
   b) Se presenta como "ayuda" un medio que en realidad es manipulador.
   c) Se les presentan medias verdades o la verdad a medias.
   d) Se presenta lo legal automáticamente como moral.

DIFICULTADES Y AYUDAS

Nunca en la historia tuvieron los padres a su disposición tantas ayudas para una mejor educación familiar como hoy. Pero tampoco nunca antes tuvo la familia tantas dificultades con las ideas que circulan en el ambiente.

Quizá muchos no se enteran de las dificultades ni de las ayudas.

Unas dificultades tienen su origen en ciertas corrientes de pensamiento. En éstas niega lo siguiente:

1. La naturaleza de las cosas.
2. La dignidad de la persona.

3. La verdad incondicionada.
4. La dignidad de la mujer.
5. Los valores inmateriales, etcétera.

Otras veces las dificultades están dentro de la familia:

1. La desunión de voluntades.
2. Los vicios de alguno de los padres.
3. La falta de responsabilidad.
4. La ausencia de cariño verdadero.
5. La duda o la ignorancia de lo que debe hacerse.
6. La pereza para cumplir el deber de cada día.
7. La falta de espíritu de lucha.
8. No atreverse a ir contra la corriente.
9. La cobardía.
10. No entender el significado del sacrificio, etcétera.

Hay padres a los que les falta paciencia, valor y sabiduría para distinguir lo que cambia de lo que permanece. Pero sus problemas tienen solución si son capaces de aceptar o buscar ayuda.

Una ayuda con la que cuentan es la orientación familiar, siempre y cuándo ésta no se degrade al servicio de criterios que sólo buscan el placer para planificar y sexologizar la familia.

La orientación familiar, entendida como promoción de la educación familiar y como mejora de la sociedad, es un acontecimiento mundial, de proporciones significativas, en el que se empeñan muchos y diversos profesionales, siempre insatisfechos de su preparación especializada y de su acción orientadora.

El buen orientador estudia con frecuencia, se actualiza.

El servicio a la vida adopta muchas formas, de las cuales las más inmediatas son la generación y la educación.

Otras formas consisten en asesorar a otros educadores o en ayudar a otros miembros de otras familias.[2]

La mejor manera de demostrar el amor a los hijos consiste en educarlos desde la propia educación, es decir, en la mejora personal.

Si quieres que los demás sean mejores, empieza por ser mejor tú mismo.

La madurez personal alcanzada en el propio proceso educativo influye necesariamente en la acción educativa.

[2] Otero, "La dimensión educativa de la familia", en la revista *Persona y derecho*, núm. 10, Pamplona, 1983, p. 348 y ss.

ÁMBITO FAMILIAR

La realidad familiar puede ser vista desde muy diversas perspectivas. Una de ellas consiste en considerar a la familia como ámbito. Es un ámbito natural: está enraizada en la naturaleza de las cosas. Es un lugar de encuentro: en ella coinciden, naturalmente, varios seres humanos; no coinciden por casualidad: coinciden unidos por la paternidad, la filiación y la fraternidad a partir de una primera y mutua elección: la de un hombre y una mujer que, al casarse, fundan ese ámbito de encuentro familiar.

Varias personas se encuentran en el ámbito natural que es la familia por razones de nacimiento, de muerte y de crecimiento moral. La familia es un ámbito en el que se forma la persona humana.

No es posible una sociedad educativa de espaldas a la familia.

Hay intentos de disolver la familia. Conviene advertir que la ruptura de la familia hace que abunden las actitudes hedonistas y que la persona se degrade buscando sólo su placer.

Como sea la familia, tal será la sociedad y tal el hombre.

Por consiguiente, al considerar la dignidad personal del ser humano y la importancia de la educación en su vida, se trata de defender a la familia. Se trata de que las familias tomen conciencia de su misión insustituible.

También hay que mencionar que la recuperación de la familia implica la recuperación de sus bases: matrimonio y persona, porque la raíz natural de la familia es el matrimonio. Y la raíz del matrimonio está en la naturaleza del hombre.

La familia es el hábitat que la naturaleza ofrece para recibir a la persona.

Sí, para acoger a la persona, pero, ¿hasta cuándo? ¿No abarca el crecimiento todas las etapas del proceso educativo?

La familia es un ámbito natural de encuentro con lazos de amor insustituibles entre las personas. Querer o aceptar a los seres humanos como personas es algo que puede ocurrir alguna vez en la convivencia social o en una organización de trabajo. De hecho, sólo puede ocurrir en la familia porque así lo exige la propia naturaleza de las relaciones interfamiliares.

¿QUÉ ES UNA IDEOLOGÍA?

Una ideología es un sistema de ideas que pretende explicar algo. Pretende explicar la realidad por la congruencia de sus ideas, no por su correspondencia con la realidad.

La ideología es reduccionista puesto que excluye de la realidad aquello que no encaja en su interés.

Hay una primera cuestión grave: las ideologías no buscan la verdad, sino el poder. Crean, por tanto, una actitud de indiferencia hacia la verdad. En todo caso, la verdad queda reducida a lo útil. Todo lo relativo y todo lo plausible depende de la propia ideología y del interés humano parcial o del conjunto de intereses que fundamentan.

Hay múltiples orientaciones ideológicas, bien diferenciadas entre sí y con frecuencia hostiles. Coinciden no sólo en esta indiferencia hacia la verdad, sino también en la negación de la verdad objetiva, en virtud de cuya negación sólo importa la utilidad. No se presentan las ideologías verdaderas, sino sólo las que son útiles para determinados logros individuales o para una construcción social, después de negar la existencia de la verdad objetiva.

Y si la verdad no existe en las cosas, entonces tampoco existe en la persona que está junto a mí.

Luego, el diálogo no es posible: no se trata de convencer dialógicamente, sino de vencer monológicamente.

PERSONA E IDEOLOGÍAS

¿Y la persona? Tampoco existe para las ideologías. Unas, por el interés de una libertad irresponsable, le niegan al ser humano su capacidad de aportación y reducen así la humanidad a masa. Otras, reducen al ser humano a una partícula de la colectividad.

Negada la naturaleza de las cosas, negada la verdad objetiva, negada la dimensión personal del hombre, lo propio de la acción ideológica es la manipulación.

Si las cosas no tienen una naturaleza definida, entonces todo resulta manipulable: la naturaleza física tanto como la naturaleza humana.

La más grave manipulación es la manipulación de las personas:

Manipular al hombre significa manejarlo como objeto e instrumento con dominio total o casi total del mismo [. . .]. Manipular al hombre implica una reducción del mismo, una desvalorización de su rango como realidad, un desdibujamiento abusivo de su condición personal. Para manipular a una persona hay que situarla en un nivel inferior al que le corresponde.[3]

[3] Alfonso López Quintás, *Manipulación del hombre en la defensa del divorcio*, Acción familiar, Madrid, 1980, p. 11.

Por consiguiente, debemos destacar otra característica de las ideologías: la violencia en sus diversas modalidades y manifestaciones.

La forma de violencia que da origen a todas las demás es el reduccionismo. ¿Hasta qué punto nos damos cuenta de su potencia destructora?

La reducción del hombre a objeto se está llevando a cabo a escala mundial por medio del lenguaje.

El lenguaje, dada su fuerza, es el gran auxiliador de la manipulación ideológica:

1. Por el poder expresivo de las palabras.
2. Por los esquemas mentales que forma.
3. Por el efecto psicológico que produce.
4. Por la manipulación semántica.[4]

VISIÓN MATERIALISTA DEL HOMBRE

Algunas concepciones sobre el hombre, son las siguientes:

1. *Materialista*: el hombre es sólo materia.
2. *Realista*: el hombre es materia y espíritu.
3. *Espiritualista*: el hombre es sólo espíritu.

Una concepción materialista del hombre lleva a ver a la naturaleza como una mercancía que hay que explotar y no como un cuadro armónico para el desarrollo de la vida humana, mismo al que hay que cuidar para las generaciones venideras, no sólo para el día de hoy.

La degradación de la tierra, del agua, del aire y del paisaje es consecuencia de la degradación del concepto de hombre.

Si la vida humana se ve como mercancía, todo lo demás se verá también bajo esa óptica.

Esta concepción materialista del hombre es otra característica común de las ideologías.

El *materialismo hedonista* propone el placer como único fin de la vida. Y da primacía a lo material y a lo económico. Su criterio para juzgar sobre la calidad de vida es la búsqueda del placer material y el rechazo del sacrificio y del espíritu de servicio.

Las ideologías buscan dar una explicación total a las interrogantes humanas.

[4] La manipulación semántica consiste en influir en alguien en provecho propio, con astucia, por medio del manejo del significado de las palabras.

¿INFLUYEN EN LA FAMILIA LAS IDEOLOGÍAS?

La influencia será mayor o menor en cada familia de acuerdo con el nivel de desarrollo personal de cada miembro, sobre todo del padre y de la madre.
Se puede permitir que otros engañen a los hijos:

1. Desde la miopía pedagógica: ésta se da cuando se es incapaz de responder a las cuestiones principales de la existencia.
2. Desde la indoctrinación ideológica, convirtiendo las "ayudas" educativas en medios de manipulación.

Puede haber influencia ideológica a partir de las leyes. ¡Y sucede que muchas veces el ciudadano se rige por ellas e ignora su alcance!
La técnica de seducir con medias verdades a públicos que no disponen de preparación o de tiempo para reconocer en su conjunto la complejidad de lo real constituye un atentado contra la verdad que merece ser impugnado y puesto al descubierto.

ALGUNAS PROPUESTAS

Sin valores éticos se está a merced de cualquier rebajamiento: legalización del divorcio, del aborto, etcétera.
¿Qué pueden hacer los padres? Estar alerta.
A continuación se ofrecen algunas medidas al respecto:

1. Fomentar la unidad familiar.
2. Oponerse a la banalización de la existencia, a quienes piensan que "la vida no vale nada".
3. Buscar la verdad sin cansancio.
4. Elevar el nivel cultural y espiritual del ambiente.
5. Evitar conductas hedonistas y egoístas.
6. Clarificar las ideas.
7. Vivir la libertad con responsabilidad.
8. Aceptar que el amor va unido al sacrificio.
9. Enseñar a pensar.
10. Ser solidarios unos con otros.
11. Reflexionar sobre la situación personal.

Tercera parte

Adolescencia

Conocimiento de los adolescentes[1]

Objetivo:

Conocer los cambios somatopsíquicos que se dan en la adolescencia para estar en posibilidad de comprender y ayudar a los jóvenes.

Esquema de apoyo didáctico:

Esquema 1.

Desarrollo del tema (50 min):

Conocimiento de los adolescentes

1. ¿Qué es la adolescencia?
2. Cambios fundamentales que indican el principio de la adolescencia.
3. El descubrimiento del propio yo.
4. El binomio autoafirmación-inseguridad y el impulso hacia la madurez.
5. La búsqueda de la madurez.
6. Qué es la madurez.
7. Las etapas de la adolescencia.
8. Las actitudes de los educadores frente a los cambios de los adolescentes.

Descanso (20 min).

Trabajo en equipo (20 min):

Lectura y análisis del caso *Familia García*.

Sesión plenaria (10 min):

Cada equipo dará a conocer sus conclusiones y éstas se comentarán en grupo.

---

[1] Basado en G. Castillo, *Los adolescentes y sus problemas*, EUNSA, Barañain, 1978, caps. I y II.

Esquema de apoyo didáctico

Esquema 1:

¿Qué es la adolescencia?
- 1. Época de inmadurez en busca de la madurez.
- 2. Ser en transición.
- 3. Se da un crecimiento físico y una evolución de la personalidad.
- 4. El adolescente descubre su intimidad, su propio yo.

Etapas de la adolescencia
- 1. Pubertad o adolescencia inicial: de los 11 a los 13 años.
- 2. Adolescencia media: de los 14 a los 16 años.
- 3. Adolescencia superior: de los 16 a los 22 años.

¿QUÉ ES LA ADOLESCENCIA?

La adolescencia es una etapa extraordinaria de la vida. Lo que la hace tan especial es el hecho de que en ella la persona descubre su identidad y define su personalidad. Esto se manifiesta en una crisis, en la cual se replantean los valores adquiridos en la infancia y se asimilan en una nueva estructura más madura.

La adolescencia es una época de inmadurez en busca de la madurez.

Sin embargo, en ocasiones la adolescencia resulta difícil de manejar, especialmente para los educadores.

En el adolescente nada es estable ni definitivo porque es un ser en transición.

Los educadores deben saber qué es la adolescencia, qué es la madurez y cuáles son los cambios que pueden experimentar los adolescentes, así como conocer las fases por las que atraviesan para poder desarrollar actitudes positivas que favorezcan la superación de la crisis.

El camino fundamental es el de la comprensión, con el debido respeto y el cariño que merecen los adolescentes.

La adolescencia es un periodo de crecimiento especial que hace posible el paso de la infancia a la edad adulta.

Los niños crecen tanto cuantitativa como cualitativamente, y este crecimiento tiene una repercusión necesaria en las formas de comportamiento.

No solamente se da un aumento en talla y peso, en capacidades mentales y en fuerza física, sino también un cambio en la forma de ser, una evolución de la personalidad.

CAMBIOS FUNDAMENTALES QUE INDICAN EL PRINCIPIO DE LA ADOLESCENCIA

CAMBIOS BIOLÓGICOS

Los cambios biológicos más importantes son los fisiológicos: se transforma el metabolismo hormonal y se inician las funciones reproductivas, aunque son más evidentes los cambios físicos: la aparición de los caracteres sexuales secundarios, a lo cual se debe el nombre de pubertad, el crecimiento desequilibrado en talla y peso con sus consecuentes dificultades de coordinación, y algunas alteraciones derivadas del desarrollo hormonal, como puede ser el acné.

CAMBIOS PSICOLÓGICOS

1. Reacciones emocionales: inestabilidad, retracción, timidez, inseguridad.
2. Frecuente mal humor. Hay necesidad de afecto, aceptación y de reconocimiento.
3. Desarrollo de la personalidad: búsqueda de identidad, de lo que deriva una necesidad de reflexión y la imitación de modelos externos.
4. Madurez intelectual: aumento de la capacidad de abstracción, del análisis crítico y del interés por conocer la verdad.
5. Desarrollo volitivo: se alcanza el máximo potencial volitivo, pero la voluntad se debilita a causa del conflicto. Prevalece la subjetividad en la apreciación del bien, la cual está sujeta a intereses personales.

CAMBIOS SOCIALES

1. Relaciones familiares: pueden alterarse y producirse roces continuos cuando los adolescentes se aíslan, se rebelan e incluso se fugan o cuestionan ideas, valores, actitudes o conductas de los padres. A veces los intereses y actitudes familiares se modifican.
2. Relaciones con el grupo: gran necesidad de aceptación y de reconocimiento. La amistad se convierte en el valor central. El grupo tiene fuerte influencia en el adolescente y esta influencia puede ser positiva o negativa.

3. Relaciones con el medio: fuerte asimilación de los valores del medio. Actitud crítica aguda, especialmente hacia los mayores. Gran sensibilidad ante las incongruencias.

EL DESCUBRIMIENTO DEL PROPIO YO

En la adolescencia surge algo en el hombre, y ese algo no es otra cosa que la propia intimidad, lo más interior que hay en la persona.

La intimidad se refiere a la conciencia, que es el ámbito en el que actúan las potencias propiamente humanas, como son, la memoria, el entendimiento y la voluntad. La conciencia es un atributo del ser humano que discierne entre el bien y el mal, entre lo justo y lo injusto.

El adolescente, a diferencia del niño, es capaz de comprender esos contenidos psíquicos porque puede mirar dentro de sí mismo.

1. Al principio se habla de un simple sentimiento del propio yo: el adolescente siente que lleva algo en sí mismo que no pertenece a nadie, que es suyo. Es un estado emotivo que le sorprende y desconcierta de momento, que le llena de satisfacción y de inquietud.
2. Más adelante ese sentimiento se transforma en algo más consciente y reflexivo: el descubrimiento del yo o de su propia intimidad. Esto le lleva a conocer por primera vez toda una serie de posibilidades personales que ignoraba.
3. Ello permitirá el desarrollo de una tendencia común a todos: la afirmación del yo, la autoafirmación de la personalidad.

Autoafirmación $=$ *querer valerse por sí mismo.*

Se presenta una serie de comportamientos que son expresión exterior de la afirmación interior:

1. Espíritu de independencia total.
2. Afán de contradicción.
3. Deseo de ser admirado.
4. Búsqueda de la emancipación del hogar.
5. Rebeldía ante las normas establecidas.

La autoafirmación, que es necesaria para el desarrollo de la personalidad humana, crece y se radicaliza ante las actitudes negativas de los mayores: rigidez, incomprensión, autoridad arbitraria, etc. Sin embargo, no son infrecuentes los adolescentes que aun siendo comprendidos por sus padres insistirán en que son incomprendidos para autoafirmarse, o por su complejidad y variabilidad sentimental, lo cual ni ellos mismos entienden.

EL BINOMIO AUTOAFIRMACIÓN-INSEGURIDAD Y EL IMPULSO HACIA LA MADUREZ

Al descubrir su yo, el adolescente conoce muchas de sus posibilidades y esto lo conduce a la autoafirmación; pero también conoce sus limitaciones, y esto conmociona la seguridad en sí mismo y le ocasiona sentimientos de duda y de inferioridad. Estos sentimientos se desarrollan en la medida en que los obstáculos exteriores se hacen presentes y se conocen progresivamente las limitaciones propias. Se tiene que hablar, por consiguiente, de la existencia permanente del binomio autoafirmación-inseguridad en el adolescente.

La autoafirmación es el impulso que hace posible que se inicie y mantenga el proceso. La inseguridad es un estado crítico que le permite al adolescente ganar en humildad y realismo y, en otro plano, le crea al mismo tiempo la necesidad de saber asimilar los fracasos y de aprender a reaccionar positivamente ante ellos.

Una postura que debe evitarse es la de pretender eliminar los factores que originan la inseguridad y tratar de ocupar el lugar del joven en la solución de los problemas.

Toda ayuda innecesaria es una limitación para quien la recibe.

Cuando se procede así, se alimenta el sentimiento de inseguridad, se incapacita al adolescente para que sepa afrontar los problemas y se le impide aprender por experiencia propia. Normalmente, esta actitud se ve correspondida con un rechazo por parte de los jóvenes.

Existe otra actitud contraproducente: la de no prestar al adolescente ningún tipo de ayuda, esperando que resuelva sólo con sus fuerzas los problemas que tiene. Es una postura abandonista que puede fomentar la inseguridad y crear un problema de tipo afectivo.

Una actitud positiva es la de ayudar sólo en la medida en que sea necesario. Ésta es una ayuda que no sustituye, sino que guía, informa y orienta, respetando la libertad personal.

LA BÚSQUEDA DE LA MADUREZ

El ingreso al mundo adulto exige una serie de cambios en todos los niveles del ser, los cuales desembocan en actitudes y comportamientos de madurez.

El adolescente, en medio de su desorientación y de sus conflictos, persigue tres objetivos:

1. La conquista de la madurez, entendida como personalidad responsable.
2. El logro de la independencia: pensar, decidir y actuar por iniciativa personal.
3. La realización de la cualidad de ser un *yo mismo*, de tener una existencia independiente y personal, de ser, en definitiva, persona.

A partir de los 12 años comienza el aprendizaje para saber afrontar la realidad de modo personal. Es verdad que a lo largo de este proceso de aprendizaje los muchachos presentan comportamientos inmaduros, pero hay que decidir que algunos de estos comportamientos son también necesarios para el desarrollo de la personalidad, lo cual se logra no solamente con los aciertos y los éxitos, sino también con los errores y los fracasos.

Si la adolescencia es una época de inmadurez, entonces es conveniente profundizar en el concepto de madurez.

QUÉ ES LA MADUREZ

La esencia de la madurez es una personalidad responsable y disciplinada, que convierta al adolescente en un adulto y lo capacite para tomar decisiones, afrontar los problemas y relacionarse con los que le rodean de un modo satisfactorio.

Es bien conocido el gran celo con que los adolescentes defienden su libertad, cuando lo desean muchas veces es una simple independencia. Pero no se trata de independencia en el pensar, decidir y actuar por sí mismo, sino en el rechazo a la dependencia de los adultos. El adolescente entiende la libertad como ausencia de limitaciones o de condicionamientos externos. No han descubierto que la libertad no es absoluta y que los mayores condicionamientos de su libertad son las propias limitaciones personales internas: la ignorancia, la pereza, la falta de iniciativa, el egoísmo, el pesimismo, etcétera.

La madurez es el resultado de ejercitar la libertad, entendida como desarrollo de capacidades y superación de las limitaciones personales.

LAS ETAPAS DE LA ADOLESCENCIA

La duración de estas etapas puede ser variable, según los individuos y las circunstancias.

PUBERTAD O ADOLESCENCIA INICIAL:
DE LOS 11 A LOS 14 AÑOS

1. Nacimiento de la intimidad o despertar del yo.
2. Crisis de crecimiento físico (desgarbado, voz desagradable), psíquico y de maduración sexual. Se compara constantemente con sus compañeros de edad y sufre cuando su desarrollo se encuentra por debajo del de sus coetáneos.

Es raro el joven que no se haya preguntado: "¿Soy normal?"
Las condiciones físicas constituyen una fuente de preocupación o de cuidado porque significan impedimentos sociales, reales o imaginarios. En tanto existan, influirán en la conducta del adolescente.

1. No tiene todavía conciencia de lo que le ocurre.
2. Conoce por primera vez sus limitaciones y debilidades y se siente indefenso ante ellas.
3. Desequilibrio emocional que se refleja en la sensibilidad exagerada y el carácter irritable.
4. Dificultad para "sintonizar" con el mundo de los adultos.
5. Refugio en el aislamiento o en el grupo de compañeros de estudio o de "cuates". También se integra a pandillas.

Ayudas positivas

1. Conocer bien a cada adolescente: sus puntos fuertes, sus debilidades, sus amistades, los peligros de su entorno, su carácter, etcétera.

El conocimiento, si no va acompañado de cariño, se convierte en una mirada fría insoportable.

2. Hacerle ver cómo es, qué le está ocurriendo y qué sentido tienen los cambios que está sufriendo. Que conozca sus posibilidades y sus limitaciones. Este conocimiento debe comenzar antes de la pubertad.
3. Ayudarle a esclarecer qué es libertad.
4. Favorecer el desarrollo de la virtud de la fortaleza. Proporcionar ocasiones en las que pueda hacer cosas con su esfuerzo personal, y otras para que aprenda a captar las contrariedades que se presentan.
5. Fomentar la flexibilidad en las relaciones sociales. Habrá que explicarle que un comportamiento puede ser adecuado al estar con algunas personas pero no al estar con otras.
6. Sugerir actividades que le permitan estar debidamente ocupado.
7. Guiarle en la tarea de defenderse de las influencias negativas del

ambiente, en especial de las que ejerce la manipulación publicitaria y de las conductas sexuales desordenadas.

Es fundamental fomentar la reflexión y el sentido crítico para que el adolescente no acepte indiscriminadamente todo lo que se le propone y ofrece.

ADOLESCENCIA MEDIA:
DE LOS 13 A LOS 17 AÑOS

1. Del despertar del yo se pasa al descubrimiento consciente del yo o de la propia intimidad. La introversión responde a esta nueva necesidad de vivir dentro de sí mismo.
2. Surge la necesidad de amar, por lo que suelen mantener intensas amistades y experimentar el "primer amor".
3. La timidez es otra cualidad característica de esta fase. Consiste en un temor a la opinión ajena y tiene su origen en la desconfianza en sí mismo y en los demás.
4. Conflicto interior o de la personalidad y comportamientos negativos, de inconformismo y agresividad hacia los demás. Actitudes originadas por la frustración de no poder valerse por sí mismo.

Ayudas positivas

¿Qué hacer para que los jóvenes no sean frívolos y aprendan a llevar una vida íntima y personal? La respuesta es: guiarlos para que adapten su conducta a las aspiraciones más nobles e íntimas que descubran en su interior.

Es verdad que la sociedad permisiva de hoy se rige por modas opuestas a los ideales elevados y que el consumismo estimula la vida exterior de las personas en perjuicio de su enriquecimiento interior. Pero si los jóvenes aprenden a ser auténticamente rebeldes ante estos reduccionismos, entonces los obstáculos del ambiente serán un reto para superarse y elevar sus metas. Por tanto, es necesario enseñarlos a buscar el silencio para poder conocerse, pensar y reflexionar, para descubrir las aspiraciones más hondas de su ser y hacer propósitos con decisión; a valorar y respetar su intimidad; a no irrumpir en forma irrespetuosa en la intimidad de los demás, y a evitar lo que pueda dañar su intimidad, como son: la ligereza en el hablar, vestir y actuar.

La paciencia y el amor unidos a una suave firmeza son los recursos para evitar que el joven cometa impertinencias. Ante una reacción agresiva suele ser útil, por ejemplo, ignorar en un primer momento ese comportamiento y esperar a que el muchacho se calme. En un segundo momento convendrá mantener una conversación con él en un clima de serenidad, invitándolo a que analice fríamente su comportamiento y deduzca por sí mismo algunas consecuencias.

1. Comienza a comprenderse y a encontrarse a sí mismo y se siente mejor integrado en el mundo en que vive. Tiene un progreso significativo en la superación de la timidez.
2. Su conducta es más serena, se muestra menos vulnerable a las contrariedades.
3. Tiene un mayor autodominio.
4. Es la época de tomar decisiones, por lo que aparecen los intereses profesionales. El sentido de la responsabilidad ante el propio futuro los lleva a trazarse un plan de vida.
5. Se observa un mayor interés por los jóvenes del otro sexo, lo que unido a la capacidad para salir de sí mismos les permite establecer relaciones más personales y profundas.

Ayudas positivas

1. Enseñarles a escuchar y comprender a quienes piensan de forma distinta que ellos o su pequeño grupo, sin claudicar de sus ideas o principios.
2. Proponerles que tengan más en cuenta los puntos de vista contrarios a los suyos, sabiendo interpretarlos adecuadamente.
3. Enseñarlos a soportar las contrariedades que acompañan a cualquier responsabilidad, tanto respecto a sí mismos como a otras personas. Convencerlos de que *querer es poder*: se puede lograr más de lo que se cree si uno se lo propone de verdad.

Quienes tratan con adolescentes deben brindarles:

Amistad, comunicación, comprensión; aprender a escucharlos, animarlos, exigirles, compartir sus proyectos, razonar siempre lo exigido, mantenerse firmes en las decisiones que se ha tomado, ceder en lo accidental.

LAS ACTITUDES DE LOS EDUCADORES FRENTE A LOS CAMBIOS DE LOS ADOLESCENTES

Las nuevas formas de comportamiento son normales en determinadas edades y, lejos de ser censurables, cumplen una función en el desarrollo del individuo, de tal modo que incluso las reacciones aparentemente más absurdas y extravagantes pueden tener un significado en el proceso de maduración personal.

Los educadores deben saber que el efecto del buen ejemplo y los buenos hábitos adquiridos en la infancia pueden imponerse a la crisis a la larga.

Los padres deben preocuparse de que sus hijos vayan interiorizando de forma razonada los criterios relacionados con la libertad y el amor. De este modo, cuando llegue la crisis, los jóvenes encontrarán en su interior un valioso punto de apoyo y los padres dispondrán de un punto de referencia para su labor educativa. A algunos padres que se preguntan acerca del error que han cometido en la educación de sus hijos habría que contestarles que fallaron por su falta de previsión. Es verdad que los niños dejan de serlo casi sin que nos demos cuenta, pero no se debe olvidar que

educar es "llegar antes que". No educamos sólo para el presente, sino también para el futuro.

Se trata de prever los acontecimientos y los posibles problemas, como el mal uso del sexo, del alcohol, de las drogas, etcétera.

Hay pequeños síntomas que no deben pasar inadvertidos. Por ejemplo:

1. Disminución del rendimiento escolar.
2. Una mirada triste.
3. No ver a los ojos.
4. Volverse huidizo.
5. Empezar a mentir.
6. No contar lo que hace ni a dónde va.
7. Aislarse en su casa.
8. Regresar tarde y no en condiciones normales, etcétera.

Todo ello requiere estar atento, saber reconocer los síntomas, actuar pronto, saber convivir y utilizar los medios adecuados para ayudar al adolescente a superar su problema.

TRABAJO EN EQUIPO

Leer, analizar y obtener algunas posibles soluciones respecto al siguiente caso:

FAMILIA GARCÍA

La familia García vive en Mazatlán. Está integrada por Gregorio, el padre; Amalia, la madre, y sus tres hijos: Ricardo, de 20 años, Olga, de 15 años, y Alfonso, de 12 años. Alfonso cursa primero de secundaria, Olga primero de preparatoria y Ricardo no estudia: sus estudios fueron interrumpidos por sus repetidas fugas cuando cursaba segundo de preparatoria, que no llegó a terminar.

Gregorio, supervisor en una fábrica de plástico inyectado, es un trabajador incansable, con cierto sentido del humor pese a su seriedad, y muy exigente: tiende a ver lo negativo en primer lugar. Está totalmente convencido de que debe actuar con alguna dureza, aunque se le humedecen los ojos al hablar de su hijo.

Amalia es más alegre que su marido: al menos sabe sonreír. Constantemente habla de su hijo Ricardo. Está preocupada por sus ideas y espera que vuelva a casa. Cree que si vuelve y le hacen la vida agradable no se volverá a ir.

Gregorio y Amalia discuten algunas veces. Pocas veces logran ponerse de acuerdo.

Hace cuatro años. . .

Todo empezó hace cuatro años. Ricardo había estado en Hermosillo en algunas ocasiones. Sus tíos tienen allí una tienda de comestibles.

De regreso a Mazatlán les dijo a sus papás que le gustaría volver al año siguiente. Como no iba bien en sus estudios, su papá le advirtió que no iría si no se esforzaba.

Después de aquel viaje, durante el curso escolar 1986-1987, Ricardo empezó a dejarse crecer el pelo. Y no insistió más en su viaje a Hermosillo. Su papá tampoco volvió a relacionar este viaje con sus estudios. Su trabajo en la empresa le absorbía muchas horas y apenas hablaba con su hijo. Por otra parte, le molestaban mucho el pelo largo y la indumentaria de su hijo.

Un sábado, cuando Amalia y Gregorio regresaban a su casa, se encontraron dos cartas, de Ricardo y un amigo, diciéndoles que no se preocuparan, que se iban a Hermosillo.

Al día siguiente, domingo, llamaron a sus familiares de Hermosillo. Ricardo no había llegado.

Ricardo y su amigo escribieron desde Tepic diciéndoles que no se preocuparan. Luego llegaron a Guadalajara de aventón. Como hacía buen tiempo y no andaban sobrados de dinero se quedaron a dormir en una plaza pública. Ricardo se acercó a ver un mariachi mientras su amigo dormía. Un policía se les acercó y les preguntó qué hacían. Como no supieron responder, los llevaron retenidos —no detenidos— a la delegación, esperando que sus papás los recogieran.

La noticia le cayó muy mal a la familia García. Nadie había estado antes en la delegación. Gregorio no quería ir a buscarlo. Los hijos menores animaban a su papá. Por fin salieron Gregorio y Amalia, disgustados y callados. Habían discutido mucho antes de iniciar el viaje. No se dijeron una palabra hasta Tepic.

Dejaron el coche en las afueras de Guadalajara y en un taxi se dirigieron a la delegación. Encontraron a su hijo en una actitud sorprendente: ni arrepentido ni triste.

En el viaje de regreso hicieron una parada para comer en pleno campo. A Gregorio le molestaba mucho el pelo largo de su hijo, y le ordenó: "¡Córtate el pelo!" Amalia, que llevaba unas tijeras, quiso ejecutar la orden de su marido, pero Ricardo salió corriendo y comió aparte.

Al regreso hablaron con un amigo de Gregorio para buscarle trabajo a Ricardo. Luego le propusieron: "Si quieres trabajar". . . , pero él decidió de otra manera: "Voy a estudiar."

Gregorio le exigió que se cortara el pelo y, muy a su pesar, Ricardo fue al peluquero.

Otra fuga

Ricardo se quedó sin amigos. Nadie fue a verlo. Él permaneció en su casa estudiando. Su humor era muy variable. Esto coincidió con una época en la que Gregorio tuvo que trabajar horas extras.

En agosto de 1987 (un mes después del regreso de Guadalajara), mientras Amalia hablaba por teléfono con una amiga, vio salir a Ricardo con un hatillo de ropa. Le dijo:
"Adiós, mamá." Y se fue.

Amalia cortó su conversación por teléfono. "No se preocupen", les dijo a sus hijos Olga y Alfonso, "lo voy a seguir".

Ricardo avisó desde Guaymas: "Me voy a Hermosillo."

En Hermosillo, sus familiares lo recibieron muy bien. Pintaba, hacía recados en la tienda y se portaba muy bien.

Gregorio y Amalia estaban muy enojados. Por si fuera poco, sus respectivas familias les echaban la culpa de todo: "Si un hijo de 16 años se va de su casa -decían- será porque su familia es un infierno."

Con motivo de un viaje que hicieron a Hermosillo recuperaron a su hijo, con un cierto enojo por parte de su abuelo y de sus tíos. Ricardo cada vez se distanciaba más de sus papás. Pero había decidido quedarse en Mazatlán y trabajar.

Nuevas fugas

Amalia no recuerda actualmente el número de fugas de su hijo. Una vez Ricardo se fue a Hermosillo; luego pasó a estudiar en una escuela técnica cerca de Hermosillo. Allí presumía de ser "chavo banda".

Un día se escapó. El secretario de la escuela llamó a su familia para comunicarles la noticia.

Ricardo se fue a Puerto Vallarta. Pasaron varios días sin saber nada de él. Le fue bastante mal y regresó como pudo a su casa. Pidió perdón y se quedó.

Amalia procuró que hubiera un clima de alegría en la casa y que Ricardo tuviera amigos. Ricardo discutía a veces con sus papás sobre la justicia y temas similares. Pero no aguantó mucho tiempo. No estaba de acuerdo con sus papás y se marchó. Esta vez se fue a vivir a un internado público en la ciudad de Monterrey. Pero unos meses más tarde, en agosto, regresó a Mazatlán:

cabellos largos y ropas sucias. Habló desde casa de unos amigos. Su mamá fue a verlo. Su papá se negó a recibirlo mientras siguiera "disfrazado". Ricardo, angustiado, esperaba afuera. Amalia sacó dinero, comida y ropa, y le dijo a dónde podía ir a dormir. Y que no se preocupara: "Nosotros te lo pagamos."

Otras dos fugas

Esta vez se enteraron del paradero de su hijo por una notificación de la Comandancia de Acapulco: había viajado a escondidas en un barco. Otro drama familiar. Gregorio se enojó mucho. "Que se quede allí", determinó, pero Amalia siguió insistiendo en que debían enviarle el boleto de regreso e ir a esperarlo porque la notificación venía acompañada de una carta de su hijo. Tal vez cambiaría su actitud.

Gregorio cedió una vez más, quizá por la insistencia de Amalia, y fueron a esperarlo. Ella recuerda muy bien la actitud de su hijo al recibirlos: resentido y dolido.

En junio de 1990 tuvo lugar la última fuga. Esta vez Ricardo se fue a Estados Unidos.

Una carta

Cuando Amalia estaba muy ocupada, en diciembre de 1992, recibieron una carta de Ricardo. Después de leerla, Gregorio y Amalia reaccionaron de muy distinto modo. Ella estaba radiante de alegría porque tenía noticias de su hijo. Él, molesto por el contenido de la carta, explotó: "Es un cínico."

Era una carta muy extensa y con muchos dibujos alusivos al texto (Ricardo es muy bueno para el dibujo). A continuación se transcriben algunos párrafos que ayudan a conocer su carácter y su situación actual:

En total hice 36 días de vendimia ¡es duro! (y un dibujo expresivo).

Estoy de veras bien. Vivo solo, en las afueras. Hay dos chavas en la casa, M. y N. Yo vivo con N.

Cantan. Hacemos, aunque parezca mentira, buenas cosas.

Ahora he conseguido meterme en la clase social que me permite luchar contra lo que no quise, ni quiero ni querré; me permite ser más feliz que viviendo en su esfera. Ya sé que querrían lo mejor, pero todo es según el color del cristal con que. . .

Ensayo hacer una pequeña cultura. . .

¡Por ahora va todo bien, estoy seguro, muy seguro! ¡Casi hasta seguro de mí mismo y de que forma parte de la humanidad!

Humildemente, necesito de su apoyo espiritual; también humildemente (pero menos) les digo que no tengo mucho dinero.

Alfonso, tengo muchas cosas escritas de todo lo que he pensado, sentido, hecho; de todo lo malo, lo bueno; de cómo llegar al buen camino; de cómo se hace sufrir, de cómo se sufre, de cómo después vuelves a ver la luz, de cómo intentas amar, etcétera.

Papá, sigue adelante; lo que haces está bien. No están haciendo ni más ni menos que lo que creen que está mejor. Perdóname si te has sentido humillado por mi causa; tú obras bien, es tu camino en la vida, con tu esposa que tú quieres, con tus hijos que están contigo y con otro que no lo está, pero que a donde vaya y a quien encuentre va a hablar con cariño y un poco de tristeza de sus papás.

Yo no podía seguir con ustedes; es un camino diferente, pero espero que algún día llegarán a saber realmente que no es malo lo que hago; intento hacer lo mejor y he comenzado desde cero (es difícil).

¡Los quiero!

En la misma carta Ricardo cuenta cómo se gana la vida dedicándose algunas horas al día a la limpieza de un edificio.

Amalia cree que lo de las muchachas no es verdad. Cree que su hijo lo dice así porque sabe que a ella le molesta.

Alfonso y Olga escuchan con alguna frecuencia las discusiones de sus papás en relación con Ricardo y su comportamiento. Ellos quieren mucho a su hermano mayor. A veces notan que sus papás discuten tanto y están tan preocupados por Ricardo que apenas se ocupan de ellos.

COMENTARIOS DEL CASO

Narra las fugas de Ricardo, de 20 años, que empezó a tener problemas después de un viaje a Hermosillo, bajo la influencia de un amigo, y posteriormente se ha ido varias veces de su casa, ante la angustia y el descontento de sus padres, que no saben que hacer.

Posibles objetivos

1. Analizar las características adolescentes de Ricardo.
2. Detectar las influencias negativas que han podido modificar sus actitudes.
3. Reflexionar en las actitudes de los padres que han contribuido a aumentar los problemas con su hijo.
4. Sugerir algunas estrategias para mejorar la relación educativa padres-hijo.

Posibles preguntas

1. ¿Por qué razones empezó Ricardo a tener problemas en su casa?
2. ¿Cómo era este muchacho? ¿Lo conocían sus padres?
3. ¿Por qué razones se empezaron a complicar sus problemas?
4. ¿Qué buscaba Ricardo en la vida? ¿Tenía algún proyecto?

5. ¿Por qué se relacionaba mal con sus padres?
6. ¿Qué actitudes de Gregorio pudieron afectar su relación?
7. ¿Qué podrían haber hecho sus padres en las primeras fugas?
8. ¿Cómo podrían relacionarse con su hijo?
9. ¿Qué convendría hacer para ayudarlo a mejorar?

Los adolescentes y sus problemas[1]

Objetivo:

Analizar algunos problemas que se presentan en la adolescencia para deducir de ellos algunas orientaciones que puedan ayudar a los padres de familia y a los maestros.

Esquema de apoyo didáctico:

Esquema 1.

Desarrollo del tema (50 min):

Los adolescentes y sus problemas

1. La rebeldía.
2. Las fugas del hogar.
3. Cómo prevenir las fugas de los adolescentes.
4. La disminución en el rendimiento escolar.
5. Algunas orientaciones para los padres sobre el rendimiento escolar.

Descanso (20 min).

Trabajo en equipo (20 min):

Discusión de las preguntas. Lectura y análisis del caso *Como un corcho en el mar*.

Sesión plenaria (10 min):

Cada equipo leerá sus conclusiones y éstas se comentarán en grupo.

---

[1] Basado en G. Castillo, *Los adolescentes y sus problemas*, EUNSA, Barañain, 1978, pp. 117-141.

Esquema de apoyo didáctico

Esquema 1:

RebeldÍa en el adolescente

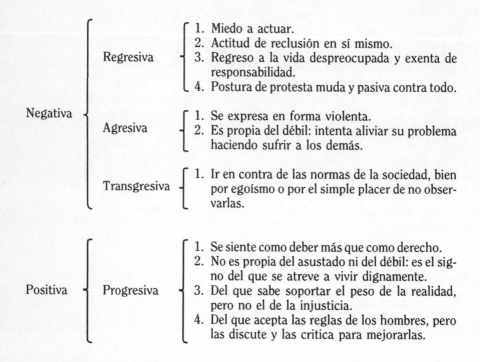

		1. Miedo a actuar.
	Regresiva	2. Actitud de reclusión en sí mismo.
		3. Regreso a la vida despreocupada y exenta de responsabilidad.
		4. Postura de protesta muda y pasiva contra todo.

Negativa — Regresiva — Agresiva — Transgresiva

Positiva — Progresiva

- Regresiva
  1. Miedo a actuar.
  2. Actitud de reclusión en sí mismo.
  3. Regreso a la vida despreocupada y exenta de responsabilidad.
  4. Postura de protesta muda y pasiva contra todo.

- Agresiva
  1. Se expresa en forma violenta.
  2. Es propia del débil: intenta aliviar su problema haciendo sufrir a los demás.

- Transgresiva
  1. Ir en contra de las normas de la sociedad, bien por egoísmo o por el simple placer de no observarlas.

- Progresiva
  1. Se siente como deber más que como derecho.
  2. No es propia del asustado ni del débil: es el signo del que se atreve a vivir dignamente.
  3. Del que sabe soportar el peso de la realidad, pero no el de la injusticia.
  4. Del que acepta las reglas de los hombres, pero las discute y las critica para mejorarlas.

LA REBELDÍA

Si a la inmadurez inicial de los adolescentes se suman actitudes inadecuadas de los padres e influencias negativas del ambiente, entonces la adolescencia puede plantear muchos problemas: rebeldía, fugas del hogar, timidez, mal uso del dinero y del tiempo libre, etcétera.

La rebeldía adolescente implica una protesta contra la idea de subordinación contenida en la noción de obediencia.

La rebeldía es distinta de la violencia, aun cuando ambas se dan juntas con alguna frecuencia. La violencia no tiene objeto, supone una ruptura completa y definitiva con los otros y sus actos son gratuitos. La rebeldía, en cambio, tiene objeto, dice *no* a algo; no rompe definitivamente con los otros, se hace en nombre de algo, hace referencia a algún valor y nunca es gratuita.

La rebeldía juvenil no siempre se da en forma declarada y persistente. Es frecuente, sin embargo, la existencia de síntomas o manifestaciones aisladas de rebeldía a lo largo de la adolescencia. Suele agudizarse entre los 15 y los

17 años, que es la fase del negativismo y de las impertinencias.

Las tres formas descritas de rebeldía negativa tienen su origen en la inseguridad e inmadurez del adolescente. Esas rebeldías crecen cuando se presentan las siguientes circunstancias.

1. Cuando el afán de independencia del adolescente tropieza con actitudes proteccionistas, autoritarias o abandonistas por parte de los padres.
2. Por ciertas influencias de la sociedad permisiva.
3. Cuando el ambiente hedonista y de productos prefabricados que encuentran hoy los jóvenes no les exige ningún esfuerzo para conseguir lo que quieren, lo que se traduce en actitudes conformistas.

Surgen así dos preguntas inevitables: ¿La juventud de hoy es rebelde o conformista? ¿Qué actitud deben adoptar los educadores ante la rebeldía de los jóvenes?

LAS FUGAS DEL HOGAR

La fuga del hogar es la satisfacción de la necesidad de evadirse de un ambiente en el que el joven se siente incómodo. Se atribuye a diversos motivos:

1. Un procedimiento para evitar castigos.
2. Un afán de aventura, de ir tras lo desconocido.
3. Un ensayo para actuar ante situaciones nuevas o para resolver problemas personales.
4. No obedece únicamente a elementos relacionados con la personalidad adolescente, sino también a otros que tienen que ver con el clima del hogar y con las influencias del ambiente.

Causas internas

1. Matrimonios separados física o moralmente.
2. Falta de cariño en el hogar.
3. Actitudes autoritarias de los padres y excesiva severidad.
4. Educación rígida en la que un fracaso escolar o el miedo al castigo suelen ser suficientes para que el hijo huya de la casa.

Causas externas

1. La fuga del hogar puede ser estimulada o provocada fuera del ambiente familiar ante la invitación de otros adolescentes que viven en comunidad lejos de su familia.

2. Por el engaño de un adulto irresponsable o degenerado.
3. Por el encuentro con algún joven fugado de su hogar.

LAS FUGAS Y LAS EDADES

La edad suele influir en el tipo de fuga y en su alcance. En la pubertad la fuga no responde normalmente a una decisión madurada; se produce de forma irreflexiva y espontánea. El fugado sale sin ningún rumbo concreto y sin pensar en las consecuencias. Estas fugas, inesperadas para los padres, suelen tener una duración muy corta, ya que el fugado no puede subsistir sin la ayuda de la familia, salvo en el caso de que sea acogido por algún grupo de adolescentes que viven fuera de sus familias.

Es muy significativo el que los púberes fugados no tengan, muchas veces, sensación de culpabilidad por lo que han hecho. ¿No sería interesante buscar una explicación para este sorprendente hecho?

En la adolescencia media (de los 13 a los 17 años, aproximadamente) son ya más frecuentes las fugas premeditadas. El joven cultiva el germen de la fuga durante días, meses o años. A lo largo de este tiempo suele preocuparse de reunir dinero o de encontrar una ocupación que le permita vivir por su cuenta.

FUGA ENCUBIERTA O DISFRAZADA

Pero la fuga de los adolescentes del hogar no se da siempre de forma manifiesta. También existen las fugas encubiertas o disfrazadas. En ellas no se da una ruptura abierta y completa con la familia, pero suponen un alejamiento deliberado del hogar.

En estas "seudofugas" se busca una ocupación como pretexto para alejarse de la familia: estudio o trabajo lejos del hogar, estancia prolongada en residencias, albergues o con otros parientes, etcétera.

Existe también un tipo de fuga en la que el adolescente no abandona físicamente el hogar; sin embargo, está moralmente ausente de él, es decir, no se siente identificado con el ambiente familiar en el que vive.

CÓMO PREVENIR LAS FUGAS DE LOS ADOLESCENTES

1. El ambiente del hogar es decisivo para la adaptación del hijo adolescente. Se fortalece cuando se siente aceptado y amado, no porque sirva para algo, no por sus cualidades, sino por lo que es, por ser persona, un *tú* único e irrepetible.
2. Hace falta la exigencia gradual y comprensiva, que tome en cuenta las posibilidades de cada uno y sea manifestación de cariño.

3. Se fomenta también el arraigo del hijo en el ambiente familiar conociendo y favoreciendo sus aspiraciones y ayudándolo en sus problemas. Una de las ayudas estará orientada hacia la autoafirmación en su estudio o en su trabajo.

4. La participación de los padres en los problemas y en el trabajo de los hijos deberá verse correspondida con una participación de estos últimos en las preocupaciones y tareas de la familia. Ello requerirá que se cuente con su opinión cuando sea necesario, que se le dé oportunidad de contribuir con su esfuerzo a que la familia salga adelante. Esto apunta a conseguir el siguiente fin: "construir la casa juntos".

LA DISMINUCIÓN EN EL RENDIMIENTO ESCOLAR

La disminución del rendimiento escolar es un problema frecuente, típico de la época adolescente. Los jóvenes obtienen peores resultados que antes y además se sienten menos adaptados al ambiente escolar; por ejemplo, se quejan de algunas cuestiones por primera vez: de los profesores, de los exámenes, de las normas de disciplina y convivencia establecidas por la escuela, etcétera.

Conviene aclarar que no todos los adolescentes se ven afectados por este problema en la misma medida. Se puede hablar en este sentido de casos que van desde un auténtico fracaso escolar hasta casos en los que el rendimiento no experimenta cambios significativos.

Estas diferencias individuales se explican en función de razones muy diversas: qué tipo de preparación básica posee el muchacho en cada materia; si tiene o no un método adecuado de trabajo; si la educación recibida en la infancia ha facilitado o dificultado la entrada en la adolescencia; si la crisis propia de la edad adolescente le ha afectado en mayor o menor proporción, lo que está muy relacionado con el carácter de cada persona: por ejemplo, si el clima familiar o escolar en el que se desenvuelve cada adolescente es distinto y, por tanto, favorece o dificulta de alguna manera el trabajo, etcétera.

Ante el hecho del descenso en el rendimiento escolar existe un riesgo importante para padres y profesores: el de ver esta situación como un simple problema de vagancia y actuar en consecuencia, ignorando sus posibles causas, las cuales pueden ser múltiples.

1. Sobre todo en la primera fase, la de la pubertad, el joven se siente invadido por la pereza. Sin duda las transformaciones orgánicas que experimentan entre los 12 y los 14 años (notable aumento de estatura, aparición de los caracteres sexuales secundarios, inestabilidad de los sentimientos y entusiasmos cambiantes) explican que no sientan la misma disposición hacia el trabajo que en la tercera infancia. No es extraño que el adolescente se encuentre frecuentemente fatigado tras la realización de tareas que, en opinión de sus profesores, no exigen un esfuerzo superior a sus posibilidades, o

que le sea difícil concentrarse en un trabajo porque algún suceso del día ha herido su sensibilidad.

2. La adolescencia es, por otra parte, una fase conflictiva. El joven entra en conflicto con los valores de la niñez y con los valores de los adultos, e incluso está en conflicto consigo mismo en la medida en que necesita adaptarse a una personalidad recién descubierta, debiendo empezar por comprenderse a sí mismo y aprender a actuar en nuevas y más difíciles situaciones que las de la infancia.

El conflicto abierto con los demás es menos probable o menos intenso cuando la educación recibida en las etapas anteriores sirve para preparar al hijo para afrontar la crisis adolescente, pero, con todo, en la adolescencia se da siempre un replanteamiento de los valores, criterios y orientaciones recibidos en la infancia. Este contexto conflictivo influye decisivamente en la realización del trabajo escolar por cuanto impide una plena concentración en el mismo, por una parte, y por cuanto los antiguos criterios o normas para realizarlo son sustituidos por otros.

3. La evolución de determinadas aptitudes mentales puede tener igualmente una repercusión sobre el rendimiento escolar. En este sentido, el paso de la memoria mecánica a la memoria asociativa suele originar dificultades de aprendizaje, al menos en un primer momento, debido a que el estudiante emplea una capacidad que aún no ha ejercitado suficientemente. Señalemos asimismo las perturbaciones que sufre la atención ante la aparición de nuevos intereses y problemas y con el desarrollo de la imaginación, la cual tiende a la ensoñación en virtud de la cual el adolescente se refugia en un mundo fantástico para eludir preocupaciones y responsabilidades concretas.

4. Un factor muy importante de cara al rendimiento escolar está constituido por los motivos que los estudiantes tienen para trabajar. Por eso debe prestarse mucha atención a la evolución de las inclinaciones desde la infancia hasta la adolescencia. En el niño se da una amplia curiosidad hacia todo lo que le rodea, pero, con la edad, se interesa sucesivamente por un menor número de cosas. No se trata precisamente de que desaparezcan los intereses, sino de que invierte mayor energía en menor número de intereses. Por eso se dice que en la adolescencia los intereses se concretan y especializan, predominando en este momento los de tipo social, filosófico y religioso, sobre los más concretos de las etapas anteriores. Esta evolución de los intereses condiciona el empleo de las aptitudes intelectuales y puede originar una disminución de los intereses relacionados con el trabajo escolar. Así, normalmente los estudiantes adolescentes sienten mayor atracción por aquellas materias que consideran más valiosas o útiles para la vida, en tanto que muestran desinterés hacia las demás. Con respecto a estas últimas, suelen pensar que no son necesarias y que estudiándolas se pierde mucho tiempo.

Naturalmente, esta desmotivación hacia el estudio se complica si los métodos de enseñanza son monótonos, si la organización escolar es rígida o si la exigencia de los profesores es excesiva para sus posibilidades.

ALGUNAS ORIENTACIONES PARA LOS PADRES SOBRE EL RENDIMIENTO ESCOLAR

ESTIMULAR O MOTIVAR ADECUADAMENTE EL ESTUDIO DE LOS HIJOS

Los padres deben ser conscientes de que este problema no se resuelve desde fuera del hijo, a base de premios y de castigos, por ejemplo, sino desde dentro de él: ayudándolo a descubrir el valor del estudio, estableciendo algún plan que se lleve a cabo con la colaboración del propio estudiante, adquiriendo las habilidades necesarias, etcétera.

Es conveniente estimular la curiosidad de los hijos y presentar el estudio como una búsqueda de respuestas ante cuestiones previamente planteadas. Sin duda, el valorar más el esfuerzo que los resultados y el dar buen ejemplo en la realización del propio trabajo son elementos de especial importancia en relación con los motivos para estudiar.

Los padres deben preguntarse, por ejemplo, qué motivos tienen ellos mismos para trabajar: si lo hacen exclusivamente por razones económicas o si tienen además otros motivos; también si se quejan o no habitualmente de su excesivo trabajo delante de los hijos, etcétera.

EXIGIR EN FORMA COMPRENSIVA

La exigencia comprensiva supone conocer y tener en cuenta las posibilidades y limitaciones de cada hijo para no esperar de él ni más ni menos de lo que puede dar de sí.

FACILITAR EL ESTUDIO EN LA CASA Y PREOCUPARSE PARA QUE APRENDAN A ESTUDIAR CON EFICACIA

Facilitar el estudio en casa supone crear las condiciones ambientales y materiales necesarias para que se pueda llevar a cabo sin grandes incomodidades, sin interrupciones de otras personas, en un lugar y en una situación que favorezcan la concentración y los motivos para trabajar. Por ejemplo, puede ser importante cuidar que durante el tiempo de estudio de los hijos no se prenda la televisión, esforzarse porque exista en el hogar un clima de silencio, no mandarlos a hacer recados, etc. También conviene conocer cómo estudian los hijos, porque el método de estudio, junto con la capacidad mental y el esfuerzo realizado, es un elemento clave para el rendimiento escolar.

Los jóvenes a menudo no saben estudiar. Al no recibir desde pequeños ninguna orientación, van adquiriendo progresivamente toda una serie de hábitos defectuosos y negativos de trabajo: memorismo, estudio pasivo, mala distribución del tiempo, falta de metas concretas, etc., que dificultan seriamente el proceso de aprendizaje.

La educación para el buen uso del tiempo libre está muy relacionada con el rendimiento escolar porque las actividades que se realizan durante el mismo pueden favorecer o perjudicar el estudio. Este tiempo será educativo o contraeducativo según como lo entiendan los hijos y según lo orienten los padres. Un riesgo frecuente es el de la ociosidad, que lleva a la adquisición de malos hábitos: desorden, pasividad y falta de esfuerzo. Los profesores saben muy bien que la disposición de sus alumnos para el trabajo empeora sensiblemente después de un periodo de vacaciones. Los padres deben por ello preocuparse de que sus hijos no estén inactivos en su tiempo libre y que aun en los momentos de llevar a cabo actividades de tipo recreativo las realicen con alguna autoexigencia y esfuerzo. Deberán también conocer el tipo de lecturas, amistades y diversiones de sus hijos, porque éstas pueden perjudicar no sólo el rendimiento en el estudio, sino también otros aspectos de su conducta.

TRABAJO EN EQUIPO

COMO UN CORCHO EN EL MAR

Me llamo Lucio y tengo 17 años. Comparo mi vida con un corcho que es llevado por las olas del mar de un lado para otro. Cuando cumplí ocho años percibí que mis padres no se llevaban bien. Cada uno andaba por su lado y descuidaban a mis hermanos y a mí. Esto afectó y se reflejó en mi conducta. Una maestra de primaria me dijo que notaba que era muy desordenado y tímido.

En otra ocasión me hizo ver que reaccionaba con agresividad ante el menor motivo. Las clases me aburrían, todo me distraía y no era capaz de concentrarme más de diez minutos.

Mi hermana Ana María se enfermó de diabetes y la poca atención que mi mamá ponía en sus hijos se concentraba en ella. Sin embargo, si algo unía a mis padres, era la enfermedad de Ana María. Ella era cariñosa y de un carácter muy distinto al mío. Se empeñaba más que yo en el estudio.

Pasó el tiempo y entré a la escuela secundaria. Algunos amigos me invitaron a ingerir drogas. Ellos usaban inhalantes. En la colonia había pandilleritos sin oficio que le entraban al cemento y con él se drogaban. Uno de ellos, Camilo, le entró tan duro que afectó su cerebro para toda la vida. Esto me impactó, pero a la vez no le concedí demasiada importancia.

Marcelino, un compañero de secundaria, me contó que sus padres tampoco se ocupaban de él y que querían cubrir la falta de cariño con dinero. Los dos dejamos una niñez que no nos traía buenos recuerdos.

Un día Marcelino y yo empezamos a drogarnos con cemento. Casi siempre era él quien ponía el dinero. Después de tres meses de inhalarlo con cierta frecuencia, Pedro, otro compañero de la escuela secundaria, nos delató con el director. El director se limitó a llamar a nuestros padres para informarles del asunto. Habló con Marcelino y a mí no me dijo ni *mú*.

Cuando llegué a la casa, mi padre me echó en cara "el punto". Yo me quedé callado. Mi mamá le echó la culpa a él, y él a su vez se la echó a mi mamá. Yo me exasperé y les dije:

—¡Lo que pasa es que ustedes no reconocen sus fallas. Sigan culpándose de "sus cosas", y a mí, déjenme en paz!

Mi mamá trató de calmarme, y yo, con lágrimas, le dije:

—Lo que pasa es que no hay comprensión en esta familia.

Luego me dio vergüenza haber llorado.

Yo me pregunto: ¿Por qué los padres no buscan ante todo el beneficio de sus hijos? ¿Qué hay más importante que un hijo? Quiero dejar de drogarme y, a la vez, no lo quiero. ¿Qué es realmente lo que quiero? ¿Qué sentido tiene la vida? ¿Es posible el amor? A veces siento que nada me interesa.[2]

Comentarios del caso

Lucio narra episodios de su vida en los que experimenta la sensación de no ser querido y atendido debido a los problemas conyugales de sus padres, hasta que termina por aficionarse a la droga.

Es un caso en que la rebeldía se manifiesta haciéndose daño a sí mismo.

Posibles objetivos

1. Analizar la influencia de la relación familiar negativa en los adolescentes.
2. Reflexionar en el uso de las drogas como forma de evasión y de llamar la atención.
3. Proponer algunos objetivos educativos a los padres de Lucio.
4. Sensibilizar a la familia —por medio de los padres o de Lucio— para encontrar estrategias de solución de sus problemas.

Posibles preguntas

1. ¿Qué razones han llevado a Lucio a su situación actual?
2. ¿Qué necesidades afectivas expresa este adolescente?
3. ¿Cómo busca llamar la atención?
4. ¿Por qué está utilizando drogas?
5. ¿Cómo lo han influido sus amigos?
6. ¿Qué errores han cometido sus padres?
7. ¿Cómo podrían comunicarse mejor con su hijo?
8. ¿De qué forma influye la mala relación de sus padres en la rebeldía de Lucio?
9. ¿De qué manera se puede responder a los cuestionamientos de este muchacho que figuran al final del caso?

[2] Esthela Pérez y Rebeca Reynaud, *Caso: Como un corcho en el mar*, México, septiembre de 1994.

Cuarta parte

Carácter y personalidad

Fundamentos de caracterología

Objetivos:

1. Diferenciar entre temperamento, carácter y personalidad.
2. Conocer la tipología caracterológica según Renato Le Senne.
3. Resaltar el papel de la educación en la formación del carácter.

Esquemas de apoyo didáctico:

Esquema 1: Personalidad, carácter y temperamento.
Esquema 2: Estructura de la personalidad.
Esquema 3: Tipología de Le Senne.

Desarrollo del tema (50 min):

Fundamentos de caracterología

1. El temperamento, el carácter y la personalidad.
2. Elementos fundamentales del carácter.
3. Tipología caracterológica según Le Senne.
4. Elementos complementarios del carácter.
5. El papel de la familia y de la escuela en la formación de la personalidad.
6. Cómo diagnosticar el carácter.

Descanso (20 min).

Trabajo individual (20 min):

Aplicación del *test* e interpretación del mismo.
Los participantes lo resolverán pensando en sus propias tendencias naturales como base de reacción con objeto de autodiagnosticar su carácter.

Sesión plenaria (10 min):

Sesión plenaria para obtener conclusiones y aclarar dudas.

EL TEMPERAMENTO, EL CARÁCTER Y LA PERSONALIDAD

En el presente capítulo concurren las concepciones de varios autores: Le Senne, Jung, Grieger y Le Galle. Se ha seleccionado tipología que hace referencia a la emotividad, la actividad y la resonancia como elementos constitutivos del carácter y debido a su enorme aplicabilidad al campo educativo.

Esquema 1:

> Personalidad: Conjunto de rasgos irrepetibles, físicos, psíquicos y sociales. Lo que se refleja al exterior.
> Carácter: Es el temperamento educado. Implica un trabajo personal.
> Temperamento: Conjunto de rasgos heredados; lo genéticamente dado.

El temperamento es el conjunto de inclinaciones innatas propias de un individuo.

Se puede decir que el temperamento es algo más próximo a la biología, más dependiente de nuestro cuerpo, mientras que el carácter es más libre. No somos responsables de nuestro temperamento, pero sí lo somos en parte de nuestro carácter (López de Lerma).

En el temperamento desempeñan un papel importante, entre otros factores, las glándulas de secreción interna y sus respectivas hormonas.

El sistema nervioso central y las glándulas endocrinas son dos elementos *integradores* de nuestro organismo, de todas sus acciones y reacciones. Son interdependientes entre sí, como por ejemplo en la adolescencia, donde se ve muy clara la recíproca influencia de ambos sistemas cuando aparecen intimidad. los caracteres sexuales secundarios y esto coincide con el surgimiento de la

El carácter es el temperamento, pero educado.

En otras palabras, el carácter hace referencia a la inteligencia y a la voluntad, pero siempre estará influido por el temperamento.

La personalidad es el conjunto de rasgos que hacen que un individuo sea único, original e irrepetible.

La edificación de la propia personalidad constituye la empresa más importante de la vida. La estructura de la personalidad está formada por cuatro elementos:

1. El intelectual: coeficiente intelectual y aptitudes.
2. El volitivo: fuerza de voluntad.
3. El afectivo: sentimientos.
4. El biofisiológico: el cuerpo y sus funciones.

Esquema 2:

ESTRUCTURA DE LA PERSONALIDAD

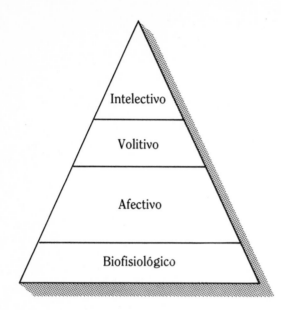

Coeficiente intelectual:
aptitudes intelectuales.

Voluntad:
carácter.

Sentimientos:
- Emociones
- Pasiones

Temperamento.

Corporalidad:
Funciones vegetativas.

Como se ha dicho, la edificación de la propia personalidad constituye la tarea más trascendente de la vida. Para lograrla son necesarios:

1. La integración: ser uno mismo.
2. Autocontrol: ser dueño de sí mismo.
3. Adaptación: ser capaz de vivir en armonía consigo mismo y con los demás.

Tener verdadera personalidad consiste en reducir todas las tendencias a la unidad de mando de la persona.

ELEMENTOS FUNDAMENTALES DEL CARÁCTER

La base más profunda de todos los caracteres está formada por tres elementos que intervienen en proporción variada: emotividad, actividad y resonancia o repercusión de las representaciones.

EMOTIVIDAD

Decimos que:

alguien es emotivo cuando reacciona de modo vivo ante un acontecimiento, liberando así, bajo diversas formas, gritos, lágrimas, explosiones de alegría, de entusiasmo, de fuerte indignación, movimientos de ataque y defensa, es decir, parte de la energía de que dispone. Los sujetos emotivos viven en solidaridad muy acentuada con el mundo y consigo mismos. La reacción interna siempre se manifiesta en el exterior, aunque en diferentes grados: un brillo en la mirada, cierto calor en la voz. No hay dos emotivos iguales.

ACTIVIDAD

La emotividad puede combinarse con la actividad o con la inactividad. La actividad manifiesta una necesidad íntima y casi constante de modificar lo dado, de imprimir un nuevo sello a las cosas, a los sucesos, a los seres y a sí mismo.

Una *persona activa* (A), caracterológicamente hablando, no es necesariamente aquella que está siempre ocupada,

es aquella persona a la que el obstáculo le refuerza la acción.

Un *no activo* (nA), caracterológicamente hablando, es aquel al que *el obstáculo lo desalienta*.

El activo trabaja por la actividad misma, por lo atractivo de la meta y sin esfuerzo. El inactivo actúa con esfuerzo y se desgasta.

La actividad del emotivo es distinta a la del no emotivo. La emotividad refuerza la actividad.

RESONANCIA

Una impresión puede producir, en la conciencia de la persona, un efecto fugaz o uno duradero.

Si el efecto es inmediato, pero fugaz, a la persona se le considera *primaria* (P).

Si el efecto tarda en producirse, pero es duradero, entonces se trata de una persona *secundaria* (S).

Las de temperamento primario viven en el momento presente, en la impresión actual: la llamada rápida y global se enciende y se extingue fácilmente. Las de temperamento secundario permanecen largo tiempo bajo el efecto de sus impresiones. Sus actos y los acontecimientos dejan en ellos amplia y profunda huella. Se les llama así porque sus reacciones no son inmediatas ni fugaces: una desgracia o una injusticia no serán una cosa pasajera, sino que serán pensados, experimentados de nuevo y recordados con insistencia; con frecuencia estos individuos son prisioneros de la rutina y de los prejuicios, pero poseen facilidad para la reflexión, el orden, la sistematización, la perseverancia y la concientización.

Los primarios reaccionan de manera semejante al acto de escribir en la arena: fácilmente se escribe, pero fácilmente se borra. Sus características son:

1. Resonancia de los datos actuales.
2. Olvidan fácilmente.
3. Son impulsivos.
4. Son móviles.
5. Son poco puntuales.
6. Actúan por los resultados inmediatos.
7. Son impacientes.

Los secundarios reaccionan del mismo modo como se escribe en el mármol; difícilmente se graba, pero lo grabado permanece. Sus características son:

1. Permanencia de las impresiones.
2. Rencorosos.
3. Tradicionalistas.
4. Piensan antes de actuar.
5. Estables.
6. Persistentes.
7. Puntuales.
8. Veraces.
9. Objetivos.
10. Sistematización mental.

En una escala de 1 a 100, la no emotividad, así como la no actividad y la secundariedad quedan por debajo de la media:

0 _____ 50 _____ 100

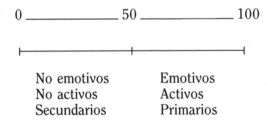

No emotivos   Emotivos
No activos   Activos
Secundarios   Primarios

TIPOLOGÍA CARACTEROLÓGICA SEGÚN LE SENNE

Esquema 3:

De la combinación de todos los elementos anteriores resultan ocho tipos básicos de carácter:

Elementos fundamentales	Carácter	Valor dominante
EAP	Colérico	La acción.
EAS	Apasionado	La obra que hay que realizar.
EnAP	Nervioso	La diversión.
EnAS	Sentimental	La intimidad.
nEAP	Sanguíneo	El éxito social.
nEAS	Flemático	La ley.
nEnAP	Amorfo	El placer. La pasividad.
nEnAS	Apático	La tranquilidad. El tradicionalismo.

En donde:

Emotivo $= E$
No emotivo $= nE$
Secundario $= S$
Primario $= P$
Activo $= A$
No activo $= nA$

Renato Le Senne (1882-1954), profesor en la Sorbona de París es el autor de esta clasificación y le asigna a cada tipo un valor dominante: es la *tipología de Le Senne*. De la tipificación de estos caracteres no podemos decir que unos sean mejores que otros, pues eso depende de cómo se encauce y se aproveche cada uno. Las personas nacen así, y aunque no pueden cambiarlo

pueden moldear el carácter a través de la educación.

Algunos caracteres presentan más problemas para los educadores, sobre todo porque el que educa también tiene un carácter específico, y la interacción de ambos caracteres puede facilitar o dificultar las cosas.

Hay que tomar en cuenta que existen elementos que se refuerzan entre sí, en tanto que otros se moderan, por no decir que se anulan entre sí. Por ejemplo, la actividad en el colérico y en el apasionado se refuerzan debido a la emotividad, que los hace parecer más activos: la primariedad en el colérico refuerza la actividad y la emotividad; en cambio, la secundariedad en el apasionado modera la emotividad, por lo que la movilidad y la efusividad resultan más notorias en el colérico.

Esta clasificación caracterológica de Le Senne es útil si no se entiende de un modo determinista. No hay que *etiquetar* a las personas: esto puede ser antipedagógico. Con voluntad es mucho lo que se puede hacer para moldear el carácter. La caracterología es una valiosa ayuda para el educador en la medida en que le permite realizar su labor formativa con serenidad y optimismo, gracias a la oportunidad que le da de conocer mejor a sus hijos o a sus alumnos y de ayudarles a mejorar.

A continuación se da una breve explicación de los caracteres según la tipología de Le Senne. No hay que perder de vista que existen algunas otras corrientes psicológicas para el estudio de la caracterología. Aquí se ha seleccionado la de Le Senne por su aplicabilidad al campo educativo.

COLÉRICO (EAP)

Se caracteriza por un deseo de actividad exuberante. Es combativo, persuasivo y entusiasta. Tiene inclinación a comunicar lo que piensa. Tiende al mando y a la dominación. Es de ideales elevados. Organiza acertadamente las actividades en grupo. Es aficionado al deporte. Tiene talento para improvisar. Corre el peligro de la dispersión. Empieza muchas cosas pero no las acaba todas. Le cuesta reconocer sus errores. Es impulsivo. Ejemplos de temperamento colérico serían Víctor Hugo y Danton.

APASIONADO (EAS)

No puede permanecer inactivo. Tiene pasiones fuertes. Las faltas propias y las ajenas le causan gran enojo. Sabe ser firme, sistemático y orientado hacia un fin. Le interesan los problemas sociales, morales y filosóficos. Cuando se encauza hacia un ideal grande es capaz de una consagración, abnegación y actividad extraordinarias. Sus aspiraciones son siempre grandes en cualquier campo. Encuentra mucha dificultad para sujetarse a un superior. Ejemplifican este tipo Miguel Ángel, Pascal y Napoleón.

NERVIOSO (EnAP)

Posee abundancia de sentimientos sujetos a una gran variabilidad. Su imaginación es viva. Es ingenuo. Posee facilidad de palabra. Siente vivamente las injurias. Tiende a sobrevalorarse. Posee fino tacto y sabe ser diplomático. Se inclina a la bondad y a la compasión, a la vanidad y a la sensualidad. Es enemigo del esfuerzo y del método. Dentro de este tipo encontramos a Chopin, Mozart y Dostoyevski.

SENTIMENTAL (EnAS)

Es profundo y perseverante en los sentimientos y sensible a las emociones y las impresiones. Su amistad es fiel y constante; recuerda cualquier favor o atención. Su fuerte no es la actividad física o mental, sino la afectividad. Es propenso a la reflexión y al análisis de sí mismo. Es indeciso. Poco inclinado a la sensualidad. Es difícil que perdone las ofensas. Entre los sentimentales se encuentran Robespierre y Rousseau.

Sanguíneo (nEAP)

Sus sentimientos no son profundos, pero sí abundantes. Siempre está alegre; es muy conversador, ameno, gracioso. Amigo de exagerar, de hacer ruido y de la animación. Suele ser sociable. Rara vez hiere a nadie. Sus pasiones no son muy fuertes. Necesita una ocupación continua. Prefiere lo más agradable, gustoso y llamativo, por eso difícilmente llega al don total. Es expansivo y efusivo; todo lo dice. Reconoce sus faltas. No se angustia por los problemas ni ahonda en ellos. No guarda rencores. No acaba el trabajo comenzado. Esquiva lo que requiere esfuerzo. Se ilusiona con cualquier cosa. No premedita. Es práctico. Entre otros sanguíneos célebres figuran Bacon y Talleyrand.

Flemático (nEAS)

Su personalidad es muy estructurada. A menudo da la sensación de frialdad. No tiene sentimientos intensos ni grandes pasiones. Es muy paciente y poco hablador. Es metódico. No suele gustarle la vida social. Es sencillo, prudente, reflexivo, ahorrador, honrado, práctico y poco imaginativo. No se preocupa inútilmente. Piensa antes de actuar. Tiene un firme sentido del deber. Obra por convicción. Es ordenado. Defiende su soledad. Son flemáticos Hume, Kant, Locke, Franklin y Darwin.

Amorfo (nEnAP)

Es influenciable, optimista, amable, poco constante e imperturbable. Tiene capacidad de adaptación. Es perezoso e inactivo. No es ordenado. Entre ellos está Luis XV.

Apático (nEnAS)

Prefiere la soledad y la vida tranquila. No le da gran importancia a lo social ni a la amistad. Conformista. Tiene poca tensión afectiva. Es capaz de disciplina y regularidad. Tiende a vivir pasivamente, a no preocuparse por nadie y a no comprometerse en actividades que exigen esfuerzo y sacrificio. Luis XVI fue apático.

ELEMENTOS COMPLEMENTARIOS DEL CARÁCTER

Carlos G. Jung, psiquiatra suizo, habla de la *extraversión* y la *introversión*.

Una persona extrovertida muestra preferencia por la participación en el mundo social y en los asuntos prácticos. Presta poca atención a los fracasos y soluciona los conflictos mediante la acción.

El introvertido tiene una tendencia al autoanálisis y a la autocrítica prolongada; no le gusta expresar las emociones inmediatamente. Es muy sensible a la crítica de los demás.

Otros estudiosos del tema proponen otras tipologías, en las cuales consideran otros matices del carácter, como los siguientes:

El *dominio* significa que la persona es capaz de dominar las situaciones normales, de dominarse a sí misma y de lograr la adaptación; también tiende a dominar a los demás. El dominio es diferente de la conciliación, que significa ser capaz de mediar en los problemas y, por tanto, de ceder o de dejarse guiar cuando es necesario.

La *amplitud o la estrechez del campo de conciencia.* La persona con amplitud de campo de conciencia se interesa por todo, relaciona y compara las cosas. La persona de campo de conciencia estrecho ve las cosas y los acontecimientos en su aspecto singular. Recibe impresiones menos numerosas pero más profundas. Existe correlación entre la inteligencia analítica y la estrechez, y entre la inteligencia sintética y la amplitud.

EL PAPEL DE LA FAMILIA Y DE LA ESCUELA EN LA FORMACIÓN DE LA PERSONALIDAD

El niño, un ser constitucionalmente débil e indefenso, tiende a buscar apoyo y protección en los demás. Esto le lleva espontáneamente a identificarse con las personas que él advierte que lo aman, defienden y protegen. Normalmente, estas personas suelen ser sus padres y sus maestros.

Es muy difícil que un padre o un maestro eduque el carácter de un niño si no trata de educar el propio.

Cada tipo de carácter requiere una orientación diferente, pero existen algunas normas comunes a todos, como crear un ambiente familiar alegre y cordial. También contribuyen al fin educacional:

1. Fomentar el desarrollo de todas las virtudes humanas: laboriosidad, sinceridad, alegría, fortaleza, etcétera.
2. Acostumbrar a los jóvenes al trabajo en equipo.
3. Destacar y valorar siempre los pequeños éxitos.
4. Elogiar los esfuerzos.
5. Revelarles las posibilidades y las limitaciones de su carácter.

Pero, ¿cómo atender también los aspectos diferenciales?

A la luz del conocimiento de los diversos tipos de caracteres, resulta más fácil comprender y aceptar los defectos de los hijos o de los alumnos, pero sin perder de vista que lo que se persigue es una mejora gradual.

Es preciso comprender que algunos defectos, más que a la mala voluntad, obedecen normalmente a ciertas inclinaciones y limitaciones propias del carácter, así como a necesidades instintivas de seguridad, aceptación y afirmación de la personalidad.

No olvidemos, por último, relacionar la educación del carácter con las situaciones de la vida real. Más que eliminar defectos sirviéndose de castigos y de reprimendas, los padres deben tratar de fomentar diariamente las cualidades y virtudes contrarias a esos defectos, proponiendo a sus hijos metas y actividades atractivas por medio de las cuales vayan adquiriendo mayor responsabilidad.

CÓMO DIAGNOSTICAR EL CARÁCTER

Si observamos al hijo o al alumno a lo largo del tiempo y en situaciones diversas, y si comparamos los hechos con las características estudiadas, entonces podremos conocer su carácter. Este conocimiento se facilita y resulta más exacto aún si respondemos a las preguntas de un cuestionario. El que respondan los padres o los maestros en lugar del niño es algo que tiene sus ventajas y sus desventajas, pero puede evitar falseamientos y malas interpretaciones en las distintas cuestiones.

El cuestionario de P. Grieger, que es el que aquí incluimos (p. 109) tiene la ventaja de que, además de permitir obtener el tipo de carácter, nos hace saber en qué medida cada individuo posee las tres propiedades constitutivas. Así, por ejemplo, de un nervioso a otro puede haber mucha diferencia, según que cada uno de ellos sea más o menos emotivo, no activo y primario.

La prueba consta de cinco preguntas para medir la emotividad; otras cinco están destinadas a la actividad, y las cinco restantes miden la resonancia (primariedad o secundariedad).

Todas las preguntas se refieren al comportamiento espontáneo y habitual de la persona.

Se recomienda la flexibilidad en la interpretación de este *test*, de manera que no se *etiquete* rígidamente a una persona a partir de los resultados.

Tómese como guía de aproximación el carácter u otro instrumento auxiliar para una educación eficaz. Se trata, en este caso, no más que de un diagnóstico inicial que se obtiene y se verifica mediante la observación, y que podría ser profundizado por un especialista por medio de instrumentos más precisos.

Es muy conveniente para un educador empezar por autodiagnosticar su carácter y corroborar los resultados con el diagnóstico que le haga otra persona que lo conozca suficientemente. Esto le dará una base para entenderse a sí mismo y estar en posibilidad de entender a sus hijos o a sus educandos, sin etiquetarlos ni criticarlos, sino con ánimo de ayudarlos a sacar provecho de cualquier tipo caracterológico, pues todos los tipos tienen ventajas y desventajas y ninguno es ni el mejor ni el peor.

TRABAJO INDIVIDUAL

DIAGNÓSTICO CARACTEROLÓGICO INICIAL DE PAUL GRIEGER

Resolver el *test* siguiente pensando en las propias tendencias naturales de reacción.

Calificar con: 0 = nunca.
                1 = a veces.
                2 = casi siempre.

Emotividad:

1. ¿Se altera fácilmente por acontecimientos de poca importancia?
2. ¿Expresa sus opiniones y defiende sus ideas con entusiasmo?
3. ¿Cambia con facilidad de parecer, de conducta y de humor?
4. ¿Reacciona con muchos gestos o ademanes?
5. ¿Se emociona fácilmente con la lectura o el relato de algo emocionante?

Total: _____

(0 a 5 = No emotivo;   6 a 10 = Emotivo.)

Actividad:

1. ¿Está generalmente ocupado en algún trabajo, incluso en su tiempo libre?
2. ¿Es perseverante en las tareas que emprende, y las dificultades son para él como un estímulo?
3. ¿Decide fácilmente, aun en momentos difíciles?
4. ¿Recobra pronto sus fuerzas después de un trabajo arduo?
5. ¿Lleva a la práctica lo que decidió hacer sin aplazamientos?

Total: _____

(0 a 5 = No activo;   6 a 10 = Activo.)

Resonancia:

1. ¿Es previsor? (Elabora con detalle un plan para el empleo del tiempo; se disgusta ante acontecimientos imprevistos.)
2. ¿Es difícil de consolar después de un disgusto o fracaso?
3. ¿Recuerda frecuentemente las cosas que le han pasado?
4. ¿Es dócil?
5. ¿Es reservado? (No le gusta dar a conocer sus gustos, amistades, etc.)

Total: _____

(0 a 5 = No primario;   6 a 10 = Secundario.)

La personalidad madura

Objetivos:

1. Analizar los elementos que integran la personalidad a partir de diferentes corrientes.
2. Profundizar en las características que posee una persona madura.

Esquemas de apoyo didáctico:

Esquemas 1-5.

Desarrollo del tema (50 min):

La personalidad madura

1. Diversas concepciones y elementos de la personalidad.
2. Tres notas que definen la personalidad.
3. Estabilidad, juicio y decisiones ponderadas.
4. Algunas características de la personalidad madura.
5. Conclusión.

Descanso (20 min).

Trabajo en equipo (20 min):

Organizar al grupo en equipos de 10 a 12 personas.
Anotar cinco ejemplos concretos de cómo se puede vivir: la madurez de juicio, la madurez afectiva y la madurez en la acción.

Sesión plenaria (10 min):

Sesión plenaria para leer las respuestas de cada equipo y obtener conclusiones entre todos.

Esquemas de apoyo didáctico

Esquema 1:

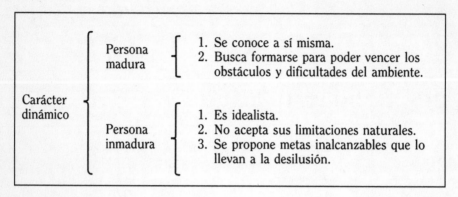

Carácter dinámico
- Persona madura
  1. Se conoce a sí misma.
  2. Busca formarse para poder vencer los obstáculos y dificultades del ambiente.
- Persona inmadura
  1. Es idealista.
  2. No acepta sus limitaciones naturales.
  3. Se propone metas inalcanzables que lo llevan a la desilusión.

Esquema 2:

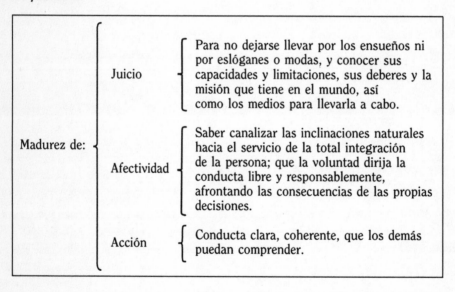

Madurez de:
- Juicio: Para no dejarse llevar por los ensueños ni por eslóganes o modas, y conocer sus capacidades y limitaciones, sus deberes y la misión que tiene en el mundo, así como los medios para llevarla a cabo.
- Afectividad: Saber canalizar las inclinaciones naturales hacia el servicio de la total integración de la persona; que la voluntad dirija la conducta libre y responsablemente, afrontando las consecuencias de las propias decisiones.
- Acción: Conducta clara, coherente, que los demás puedan comprender.

Esquema 3:

Medios para alcanzar la madurez

1. Deseo explícito de ser persona madura:

> Motivación intrínseca.

2. Afán de aprender y de servirse de la experiencia de los demás:

> Pararse sobre hombros de gigantes.

3. Fomentar la responsabilidad personal, la lealtad, la reciedumbre y las demás virtudes humanas:

> Madurez: desarrollo armónico de las virtudes humanas.

4. Paciencia, saber contar con el paso del tiempo, seguir insistiendo:

> Educación: inversión a largo plazo.

Esquema 4:

Capacidad de juicio

La persona madura

1. Es objetiva y realista consigo misma.
2. Admite sus limitaciones; sabe lo que quiere y lo que puede.
3. Es segura, tiene confianza en sí misma.
4. Es coherente en su actuación; es libre y acepta con responsabilidad las consecuencias de sus actos.
5. No es rígida; sabe adaptarse a las circunstancias y resolver sus problemas, que son siempre reales y objetivos, cediendo y concediendo, o exigiendo, según sea necesario.

La persona inmadura

1. Se engaña a sí misma.
2. Oculta su timidez bajo actitudes altaneras y arrogantes o de falsa modestia y humildad.
3. Es insegura e irresponsable; rehúye los compromisos y el trato abierto; es frívola, atolondrada y cobarde; se teme a sí misma y no se enfrenta ni consigo misma ni con sus problemas.

Esquema 5:

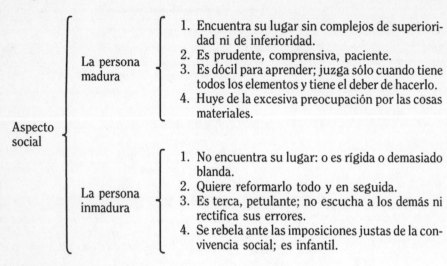

Aspecto social

La persona madura
1. Encuentra su lugar sin complejos de superioridad ni de inferioridad.
2. Es prudente, comprensiva, paciente.
3. Es dócil para aprender; juzga sólo cuando tiene todos los elementos y tiene el deber de hacerlo.
4. Huye de la excesiva preocupación por las cosas materiales.

La persona inmadura
1. No encuentra su lugar: o es rígida o demasiado blanda.
2. Quiere reformarlo todo y en seguida.
3. Es terca, petulante; no escucha a los demás ni rectifica sus errores.
4. Se rebela ante las imposiciones justas de la convivencia social; es infantil.

DIVERSAS CONCEPCIONES Y ELEMENTOS DE LA PERSONALIDAD

Probablemente el término "personalidad" es el más debatido de todos los que integran el mundo psicológico. Mientras unas teorías insisten en lo observable y lo inventariable de la conducta, otras acentúan el aparato científico explicativo de la realidad humana. Puesto que la realidad humana es *una*, otras teorías buscan definir el principio integrador de esa realidad.

Veamos algunas concepciones de lo que es la personalidad para formarnos una idea propia a partir de la experiencia y de la reflexión.

1. Para Cicerón, la personalidad es el conjunto de cualidades personales y definitorias de cada hombre.
2. Otros autores[1] afirman que la personalidad está constituida por todas aquellas cualidades heredadas y adquiridas que definen al ser humano concreto individual y viviente.
3. R. B. Cattell dice que es el modo peculiar de sistematizar, asimilar e integrar la información que se recibe.
4. Algunos especialistas se inclinan por describirla como el modo individual de adaptación del hombre y su peculiar manera de ajustarse al medio. A veces se añade que la inteligencia es la rapidez para adaptarse a las circunstancias.

En el desarrollo de la personalidad, además de las características propias de cada persona y de la educación, intervienen diversos elementos:

[1] R. B. Cattel, Freud, Lersch, Rogers.

1. El carácter o conjunto de disposiciones.
2. Elementos provenientes de la dinámica familiar.
3. Elementos provenientes de la dinámica social.
4. Elementos provenientes de la dinámica familiar, derivados de las relaciones adecuadas o inadecuadas entre los padres y los hijos.
5. Elementos provenientes de la dinámica social, derivados del ambiente: escuela, amigos, barrio y sociedad en general, que influyen positiva o negativamente en el desarrollo de la personalidad.

Así, las disposiciones congénitas aunadas a la educación, a la dinámica familiar y a la dinámica social, dan por resultado la personalidad.

TRES NOTAS QUE DEFINEN LA PERSONALIDAD

Entre las notas más sobresalientes que caracterizan y definen la personalidad cabe destacar tres:

1. *La integración.* Los múltiples y variados aspectos que constituyen la personalidad se integran en un todo compacto que funciona como una unidad. Podemos equiparar la persona bien integrada a una auténtica "composición" en la que no hay una nota discordante. Una definición de personalidad dice que ésta consiste en "reducir todas las tendencias a la unidad de mando de la persona".
2. *El autocontrol.* El yo integrado y maduro se pertenece a sí mismo, se posee a sí mismo y es distinto y superior a todos y a cada uno de sus elementos. La libertad *terminal,* interior y espiritual, es la mejor y más alta expresión de la personalidad subjetiva y formal.
3. *La adaptación.* La personalidad integrada y asumida por el yo es una personalidad que está en condiciones de vivir en paz, en armonía y en unión, en primer lugar consigo misma y después con el resto del mundo.[2]

La edificación de la propia personalidad constituye la empresa más importante de la vida, la tarea más hermosa que traemos entre manos. Este quehacer caracteriza y define, a juicio de Zubiri, la vida humana.

ESTABILIDAD, JUICIO Y DECISIONES PONDERADAS

La madurez humana se manifiesta, sobre todo, en cierta estabilidad de ánimo, en la capacidad de tomar decisiones ponderadas y en el modo recto y

[2] *Cfr.* J. A. Cabezas, "Personalidad", en *Gran Enciclopedia Rialp,* Rialp, Madrid, 1974.

realista de juzgar los acontecimientos y a los hombres. En primer término, se necesita madurez de juicio: una persona humanamente madura se juzga a sí misma con realismo y objetividad, admite sus limitaciones, sabe lo que quiere y lo que realmente puede. De ahí nace un sentimiento de seguridad y de equilibrio que le permite actuar coherente, libre y responsablemente.

Muy diversa es la actitud de la persona inmadura, que no ha conseguido esa plenitud humana y se engaña a sí misma ocultando su timidez bajo un comportamiento altanero, disfrazado incluso de modestia y humildad. Esa persona vive en la inseguridad, rehúye el compromiso y el trato abierto. En su conducta muestra como síntomas la falta de definición para todo, la ligereza en el obrar y en el decir, el atolondramiento, en una palabra, la frivolidad, la cual constituye su excusa inconsciente para no afrontar los problemas. La persona inmadura se teme sobre todo a sí misma.

En el aspecto social y en la convivencia, una persona madura sabe encontrar siempre su propio lugar: es comprensiva y paciente con los demás. Por el contrario, una persona sin la debida madurez no encuentra el punto justo en su trato con los demás: o es débil y condescendiente o se refugia en una rigidez autoritaria y estéril. Una persona inmadura es testaruda y petulante, incapaz de escuchar a los demás o de rectificar definitivamente sus propios errores.

Para adquirir la madurez o para crecer en ella no es suficiente una buena disposición genérica; es preciso dedicarse a la tarea de alcanzarla invirtiendo lo mejor de nuestras energías y siendo conscientes de que necesitamos la ayuda de los demás. La dedicación a este trabajo hace que nos olvidemos de nosotros mismos, que sirvamos a los demás.

ALGUNAS CARACTERÍSTICAS DE LA PERSONALIDAD MADURA

Después de haber intentado definir a grandes pinceladas qué es una personalidad inmadura, vamos a mencionar las características o manifestaciones más importantes de la madurez.

OBJETIVIDAD

Consiste en conocerse a sí mismo con virtudes, defectos, limitaciones y habilidades, sin sobrevalorarse ni infravalorarse. La idea que se tiene de sí mismo influye en buena medida en la percepción del exterior.

AUTONOMÍA

Es la capacidad de la persona para decidir y actuar por sí misma. Tiene claro qué es lo que debe hacer, independientemente de la opinión de los demás. No se deja llevar por el que dirán, la moda, etcétera.

CAPACIDAD DE AMAR

Ama en forma madura el que quiere lo mejor para el que ama. Esto implica aceptación, entrega, saber demostrarlo y tener actitud de servicio. Implica asimismo saber comprometerse y aceptar el sufrimiento o las molestias que acarrea el amar a alguien.

SENTIDO DE RESPONSABILIDAD

Es la capacidad de responder adecuadamente teniendo como marco de referencia los valores que se quieren realizar. La responsabilidad conlleva una obligación. Por ejemplo: es responsable el padre de familia que sanciona debidamente a sus hijos respetando su dignidad personal, sin dañarlos, antes bien, haciéndolos reflexionar con miras a su mejora, para formarlos y educarlos.

TRABAJAR PRODUCTIVAMENTE

Cuando la persona trabaja, es decir, cuando invierte energías que la conducen a alcanzar algo y obtiene un resultado, decimos que trabaja productivamente. No sólo obtiene resultados de tipo económico, sino también resultados de otra índole, como son: desarrollar aptitudes, dar un servicio, producir algo, etc. El que trabaja en forma madura lo hace independientemente del estado de ánimo, y además hace las cosas bien hechas.

VISIÓN AMPLIA

Implica tener intereses variados y perseguir metas en diversos campos: humano, cultural, político, económico, etc. El que posee una visión así no relativiza lo absoluto ni absolutiza lo relativo, sino que da a cada cosa y acontecimiento su lugar y su importancia.

SENTIDO ÉTICO

Es la capacidad de distinguir entre lo que es bueno y lo que es malo, y por eso se rige por normas de conducta como no hacer a otro lo que no quiere para sí mismo, hacer el bien y evitar el mal, etc. El que tiene sentido ético sabe ir contra la corriente cuando así es necesario.

CAPACIDAD DE REFLEXIÓN

La persona madura reflexiona sobre sus actos, sus necesidades, sus deseos, sus sentimientos y sus conocimientos. Reflexiona sobre el porqué y el para qué. Sabe decidir entre lo importante y lo urgente, entre lo esencial y lo secundario. Aprovecha su experiencia.

SENTIDO DEL HUMOR

Buen humor lo tienen quienes saben reírse de las cosas, de los acontecimientos y de las personas, incluyendo la suya propia, pero su reír no es burlesco ni despreciativo, sino que es un reír comprensivo y consolador, propio de quien ha encontrado lo más profundo y lo más amable de la vida y sonríe ante la realidad, ante las debilidades propias y las ajenas. El humorista verdadero es un verdadero humanista.

CAPACIDAD DE ENTABLAR AMISTADES PROFUNDAS

Es la capacidad de tener relaciones bipersonales profundas centradas en la persona y no en el interés o la utilidad, por lo que resultan enriquecedoras para ambas partes.

MANEJO EMOCIONAL

Es la capacidad de manejar, de canalizar, de ordenar y expresar los sentimientos, las emociones, el humor, el talento, etcétera.

CRITERIO

Es tener principios iluminadores para saber juzgar y discernir lo más adecuado entre las alternativas que plantea la vida; es ser flexible, es tener la mente abierta al cambio; es ser comprensivo con los demás; es adoptar una actitud constructiva; es estar dispuesto a poner a prueba las ideas, explorarlas, pedir que las evalúen y no molestarse ni ponerse agresivo si las sugerencias no se ponen en práctica.

SEGURIDAD

La seguridad del hombre maduro está fincada en la comprensión de su dignidad como persona: vale por lo que es, no por lo que tiene ni por lo que hace. Se da cuenta de que es un ser limitado y así lo reconoce. Se preocupa por desarrollar sus propios recursos y se enfrenta a los problemas.

MANEJO POR OBJETIVOS

La persona madura planifica su vida en función de objetivos, es decir, en función de las metas que quiere alcanzar. Sabe darle más importancia a los objetivos vitales que a los objetivos secundarios.

LIBERTAD

Es la capacidad de elegir. La madurez de la libertad radica en la elección de lo mejor.

MANEJO DE LA FRUSTRACIÓN

La frustración es un fenómeno frecuente en la vida de las personas. Su adecuado manejo comienza por saber aceptarla. La frustración es uno de los riesgos que se corren al intentar lograr algo. Cuando no se ha alcanzado lo que se deseaba, surge la frustración. Hay que centrarse en descubrir las razones de ello y los obstáculos que lo impidieron, para así tenerlos en cuenta en el futuro en vez de lamentarse, quejarse o desanimarse.

De todas estas características aquí descritas se derivan algunos signos de madurez como los siguientes:

1. La persona madura tiene seguridad en sí misma, se manifiesta tal cual es. Sabe lo que puede y lo que quiere, y de ahí nace un sentido de seguridad, de confianza y de equilibrio. Su actuación es libre y responsable.

2. Quien tiene madurez se considera a sí mismo con realismo y objetividad.

3. Admite sus limitaciones y acepta sus errores. Distingue lo que es pura posibilidad de lo que es conquista efectiva, y sabe también aprovechar sus cualidades.

4. Es realista en sus pensamientos; se propone metas accesibles y conoce sus posibilidades de alcanzarlas.

5. Conoce sus deberes y la misión que tiene en el mundo, así como los medios que ha de emplear para llevarla a cabo.

6. La persona madura es sincera en sus palabras y en su conducta.

7. Es realista en sus observaciones: juzga cada situación por sí misma y evita los prejuicios. Es capaz de criticar positivamente sus ideas y las ideas de los demás.

8. Su conducta es predecible y coherente.

9. Tiene tolerancia a la soledad y a las frustraciones, y posee habilidad para aceptar opiniones y conductas diferentes de las suyas.

10. Posee capacidad de controlar sus respuestas afectivas y de sobrellevar tensiones.

11. Sabe encauzar sus inclinaciones naturales al desarrollo total de su personalidad.

12. Es capaz de encontrarle sentido a la vida y a los sucesos, aunque éstos no sean agradables.

13. Se enfrenta a los problemas. Se arriesga y se compromete.

14. En el aspecto social es capaz de dar y de recibir. Sabe encontrar el lugar de igualdad, de superioridad o de inferioridad que le corresponde.

15. No reacciona precipitadamente ante los hechos, sino que decide, es decir, se controla y piensa las razones más convenientes.

16. No se jacta ante los demás; no presume.

17. Tiene espíritu deportivo: sabe ganar y perder; soporta la derrota sin quejas y obtiene de ella una lección saludable. Vuelve a empezar las veces que sea necesario.

18. No busca defectos en los demás por sistema; se esfuerza en ver primero lo positivo de las personas y de las situaciones.

19. Domina la susceptibilidad por medio de razones inteligentes y detecta que ésta tiene como fondo un amor propio desordenado.

20. Sabe planificar.

21. Considera la paciencia como una de las mayores virtudes y lucha por ponerla en práctica.

CONCLUSIÓN

Como hemos podido darnos cuenta, la personalidad madura desarrolla cualidades. Estas cualidades también reciben el nombre de valores o virtudes.

Un hombre maduro es una persona valiosa en sí misma y para la sociedad.

Cada una de las cualidades humanas implica necesariamente a las demás y las armoniza. Esto significa que el hombre maduro es una persona integrada, que unifica en torno a sí los diversos elementos de que se compone la rica trama de su existencia.

Madurez: desarrollo de las virtudes humanas.

Quinta parte

Autoridad y relaciones familiares

Estilos de autoridad educativa[1]

Objetivos:

1. Comprender que el estilo de mando dependerá del modo de ser.
2. Conocer los polos extremos de la autoridad a fin de evitarlos.

Esquema de apoyo didáctico:

Esquema 1.

Desarrollo del tema (50 min):

Estilos de autoridad educativa

1. Ser educador es un trabajo directivo.
2. ¿Qué distingue a una autoridad de otra?
3. Extremos de la verdadera autoridad.
4. La autonomía.
5. La participación.
6. Mejora del propio estilo.

Descanso (20 min).

Trabajo en equipo (20 min):

Corrillos para analizar las consecuencias del autoritarismo y del abandonismo, tomando en cuenta la experiencia de los participantes.

Sesión plenaria (10 min):

Invitar a la reflexión personal sobre la forma en que se puede mejorar el propio estilo de mando.

[1] Basado en el documento de Otero, *Estilos de autoridad educativa*, ficha introductoria núm. 72, elaborada por el departamento de investigación del Instituto de Ciencias de la Educación de la Universidad de Navarra, Pamplona, 1981.

Esquema de apoyo didáctico

Esquema 1:

ESTILOS DE AUTORIDAD

Toda autoridad debe poseer autodominio y prestigio.

Educación = cariño + sistema

El estilo de autoridad depende del carácter de la persona. No se trata de cambiar el estilo propio, sino de afinarlo.

La autoridad se pierde, se conserva o se recupera por el modo de comportarse.

Los diferentes estilos de autoridad se apoyan en el prestigio.

Tiene prestigio quien:

1. Mantiene una línea de actuación congruente.
2. Gradúa la exigencia.
3. Es firme en lo fundamental.
4. Es flexible en lo opinable y lo secundario.
5. Es optimista.
6. Es comprensivo.
7. Tiene buen humor.
8. Tiene una actitud positiva ante el trabajo.
9. Conoce lo que enseña.

SER EDUCADOR ES UN TRABAJO DIRECTIVO

No existen recetas para mandar, pero sí hay algunas sugerencias que han dado buenos resultados.

El estilo de la autoridad depende sobre todo de cada persona, de su carácter y de la conciencia que tenga de su dignidad.

Hay estilo en quien se respeta a sí mismo como persona y como tal es respetado por los demás.

Hay estilo en quien no se masifica, en quien defiende un criterio recto a pesar de que la mayoría piense y actúe de diferente manera.

Los padres son los directivos del hogar con estilo propio: cada uno lo será de acuerdo con su modo de ser, pero éste se ha de afinar.

Ese modo de ser y de luchar por mejorar se refleja en la forma de trabajar.

Lo que se hace hay que hacerlo bien.

Ser padre es un trabajo directivo. Por tanto, por ser quienes dirigen, el padre y la madre tienen autoridad.

Es frecuente que algunos padres abandonen o cedan su autoridad, lo que equivale a no presentarse a trabajar, es decir, es como el ausentismo en el trabajo. ¿Qué pasa con un padre de familia que no ejerce su autoridad? Algunas veces se limita a satisfacer las necesidades de nutrición corporal, pero descuida la atención integral de sus hijos.

La autoridad paterna es una influencia positiva que se apoya en que los hijos aceptan esa autoridad y obedecen.

Quienes mandan tienen dos tipos de autoridad:

1. El poder de tomar decisiones.
2. El poder de premiar o de castigar.

Cada estilo de autoridad depende de la persona que lo ejerce. Se ha de tener en cuenta que la autoridad es una influencia sobre personas, es decir, sobre seres libres.

La autoridad se apoya en la libertad de los educandos como capacidad para aceptar. Por tanto, supone participación. Así considerada, la autoridad consiste en dirigir la participación.

En consecuencia, existirán diversos modos de dirigir.

La autoridad educativa es un servicio para mejora de otros. Se trata de servir, no de dominar.

Mandar quiere decir, en primer lugar, mandar sobre sí mismo. Cuanto mayor autodominio se tenga mejor servicio se prestará. Si un padre es iracundo y se deja llevar fácilmente del enojo, entonces deberá tratar primero de serenarse y de controlar su mal genio. Por tanto, no debería dar órdenes mientras esté enojado o de mal humor.

Tranquilízate antes de dar una orden.

En toda autoridad debe de existir, por tanto:

1. Autodominio.
2. Espíritu de servicio (afán de ayudar).
3. Prestigio.

¿QUÉ DISTINGUE A UNA AUTORIDAD DE OTRA?

Lo que hace diferente a una autoridad de otra es el modo diverso de valorar las situaciones. Hay quienes ponen mayor énfasis en las cosas por realizar y, quienes, por el contrario, centran su atención en las personas que las realizan.

Los padres que se preocupan de las cosas por realizar cuidan:

1. La comida y los estudios de los hijos.
2. El cumplimiento de sus tareas y encargos.
3. Que cuenten con la ropa y los útiles necesarios.

Pero también es muy importante que los padres se preocupen por la atención a las personas, es decir, por:

1. Demostrar cariño a sus hijos.
2. Convivir y conversar con ellos.
3. Fomentar su educación integral.

En el espacio delimitado por esas dos variables caben muy diversas posibilidades de estilos personales de autoridad.

La atención a las cosas y a las personas debe estar en equilibrio; pero encontramos con frecuencia madres que dedican su esfuerzo solamente a la tarea que hay que realizar, a lo inmediato, y no se ponen a platicar con sus hijos.

Lo ideal es que los padres se preocupen por las cosas y por las personas, dando prioridad a las personas cuando haya conflicto. El mejor regalo para los padres es la alegría de los hijos, su felicidad. Eso no quiere decir que haya que evadir el enfrentamiento, sino que se ha de equilibrar el amor a los hijos con la exigencia que, en definitiva, busca su bien. Toda educación se puede resumir en:

Amor y autoridad.

Exigencia con cariño o cariño exigente.

Los hijos esperan que sus padres tengan autoridad; de lo contrario se decepcionan y se sienten inseguros.

EXTREMOS DE LA VERDADERA AUTORIDAD

1. Si en una familia hay cariño, pero no hay autoridad, la educación será incompleta. Todo es blandura y se cae en la sobreprotección. Los hijos desconocerán la fortaleza, virtud que hace al hombre capaz de resistir, de acometer cosas difíciles y valiosas.

A veces, por comodidad o por miedo, no se ejerce la autoridad. Esto se llama abandonismo.

Cada miembro de la familia hace lo que quiere, es decir, se incide en el permisivismo. Y eso no ayuda a mejorar.

2. Si en una familia hay autoridad, pero no hay cariño, se cae en el autoritarismo, que es el abuso de autoridad. Esta autoridad será aplastante, dominante, y puede llegar a la tiranía. No hay diálogo, no hay misericordia: la persona no cuenta. El autoritarismo es el ejercicio arbitrario de la autoridad.

La fuerza aplasta, controla o impone. "La fuerza hace andar pero ella misma no anda."

LA AUTONOMÍA

La autonomía es otra de las notas que hace que una autoridad sea diferente de otra.

Cada persona posee un grado mayor o menor de influenciabilidad. Cada uno puede preguntarse: "¿Qué tan influenciable soy? ¿Distingo entre influencias positivas y negativas?"

Hay personas que rara vez piden consejo y otras que no se atreven a actuar sin él.

Hay personas que actúan con mucha autonomía en el ejercicio del mando. La reflexión es aconsejable, ya que todo hombre se puede equivocar.

Las influencias pueden ser externas o internas:

INFLUENCIAS EXTERNAS

1. La información sobre el tema.
2. La moda.
3. Las amistades.
4. La autoridad del otro cónyuge o de los maestros del hijo.

1. Los prejuicios.
2. La rigidez.
3. La indecisión.
4. La ignorancia.
5. El buen juicio.
6. La reflexión.

LA PARTICIPACIÓN

La participación es otro elemento que hace a una autoridad diferente de otra.

La participación tiene diversas modalidades: puede ser consultiva, decisoria y activa.

Se puede participar más o menos, como padre o como hijo, en la consulta, es decir, en dar una opinión sobre un asunto.

Se puede participar, como padre o como hijo, en la toma de decisiones que afecta a toda la familia, como puede ser la decisión de adonde ir en un paseo dominical. Esta es la participación decisoria.

Por último, se puede participar en la acción con mayor o menor intensidad, dependiendo del caso. Por ejemplo, en un arreglo casero o en la atención de un enfermo en la casa.

Por otra parte, una autoridad puede ser individualista o participativa.

La autoridad es individualista cuando la persona prefiere desempeñar el papel principal, es decir, cuando prefiere el protagonismo.

La autoridad participativa opta por escuchar diversas opiniones y tener parte en la decisión, sin imponer su criterio personal.

La autoridad también puede ser:

1. Rígida, rigurosa, severa. La autoridad rígida actúa con dureza en el genio o en el trato.
2. Flexible. Tiene disposición a ceder o a acomodarse fácilmente al dictamen o resolución de otro.

La prudencia dirá cuándo un padre debe ser flexible y cuándo debe ser más exigente.

ERRORES MÁS COMUNES EN EL EJERCICIO DE LA AUTORIDAD

1. Incongruencia.
2. Inconsistencia.
3. Indiferencia.
4. Permisividad.
5. Imposición y autoritarismo.
6. Posesividad.
7. Manipulación.
8. Sobreprotección.
9. Atropello.

MEJORA DEL PROPIO ESTILO

No se trata de cambiar el propio estilo, sino de mejorarlo.

La lucha del padre de familia y del maestro puede centrarse en algunos de estos aspectos:

1. Pensar antes de dar una orden.
2. No actuar obedeciendo a las impresiones del momento.
3. Ser pacientes.
4. Saber esperar.
5. Superar miedos o inseguridades.
6. Escuchar las dos campanadas: escuchar a las dos partes.
7. Aceptar la propia realidad, etcétera.

Sólo entonces se estará en condiciones de abordar la mejora del estilo:

1. En la exigencia, en la tarea y en la comprensión con las personas.
2. En la superación de las influencias nocivas.
3. Respecto a las posibilidades de la participación familiar.
4. En la flexibilidad que permite exigir de acuerdo con las posibilidades y las necesidades de cada hijo en cada situación.

Se mejora el propio estilo en la medida en que se cultivan la comprensión y la exigencia. Ello requiere firmeza y flexibilidad.

La autoridad mejora con el buen humor y con la firmeza serena. Buen humor no quiere decir hacer bromas de todo, sino mirar con optimismo la realidad.

Como la autoridad es la relación, se puede complementar con la mejora de la situación. Por ejemplo, enseñando a obedecer libremente.

Los padres y los maestros deberíamos preguntarnos: "¿Por qué obedece mi hijo? ¿Por miedo? ¿Por quedar bien? ¿Por qué está convencido de que eso es lo mejor para él?"

Se entendería mal la flexibilidad si con ella perdiera firmeza. La flexibilidad tiene su radio de acción. ¿En dónde se puede ser flexible?

1. En lo accesorio, en lo que no es lo principal.
2. En los medios: existen muchos medios para llegar a cumplir un objetivo.

Los campos de la firmeza son los siguientes:

1. Lo fundamental, lo principal: serán muy pocas cosas las esenciales.
2. El ámbito de los fines.
3. El de los contenidos.
4. El terreno ético.

Relación padres-hijos adolescentes[1]

Objetivos:

1. Analizar las relaciones padres-hijos adolescentes y los posibles conflictos que puedan tener.
2. Estudiar las vías de mejora de las situaciones conflictivas.

Esquemas de apoyo didáctico:

Esquemas 1, 2 y 3.

Desarrollo del tema (50 min):

Relación padres-hijos adolescentes

1. Introducción.
2. ¿Qué hacen y qué deben hacer los padres?
3. Cómo orientar a los padres.
4. Conflictos entre los padres y los hijos adolescentes.
5. El ambiente.
6. Origen y desarrollo de los conflictos.
7. Sugerencias para abordar y resolver los conflictos.
8. Cuestionario de relaciones padres-hijos.

Descanso (20 min).

Trabajo en equipo (20 min):

Lectura, análisis y discusión del caso *Me siento defraudada*.

Sesión plenaria (10 min):

Comentarios en grupo que propicien la obtención de conclusiones personales por parte de los participantes.

---

[1] Basado en el documento de A. M. Navarro, *Algunas cuestiones entre los padres y los adolescentes*, documento de orientación familiar núm. 510, elaborado por el departamento de Investigación del Instituto de Ciencias de la Educación de la Universidad de Navarra, Pamplona, 1981.

INTRODUCCIÓN

Según un autor, la organización de la infancia prepara la desorganización de la adolescencia y ésta anticipa la reorganización de la vida adulta.

Por eso la adolescencia es una época difícil en la vida, tanto para los propios protagonistas como para sus educadores. La palabra "conflicto" es la que mejor traduce la relación que hay entre unos y otros. En la familia, el conocido "decálogo de los padres" señala este momento como el paso del padre a la categoría de "anti-héroe" (desmitificación) o la "muerte del padre", según otras expresiones. Es el paso del mimetismo de la infancia a la desconfianza de la pubertad, que se convierte en oposición y rebeldía en la adolescencia y juventud, aunque no es obligatorio que así ocurra siempre. La tensión padres-hijos adolescentes es una faceta de la crisis generacional que hoy, debido a la difusión de los medios de comunicación colectiva y el cultivo de la libertad personal sin la correspondiente responsabilidad, se ha generalizado.

LA TENSIÓN DE LAS GENERACIONES

Algunos jóvenes acusan a los adultos de un excesivo amor por el dinero y el bienestar, de una explotación de la gente, de deshonestidad en los negocios, de corrupción en la política (sostener guerras con fines económicos, por ejemplo) y de conservadurismo e hipocresía. Atacan el "aparentar" ante la sociedad. Algunos rechazan a la sociedad establecida, que ha sido forjada por los adultos, y dentro de ella, sus lacras, y en muchas ocasiones también sus logros. Por eso se marginan a veces, entendiendo de modo peculiar las grandes cuestiones de la vida: religión, amor, trabajo, libertad, responsabilidad, etc. En esta oposición, a veces son tan dogmáticos como los adultos a los que inculpan.

Los adultos, por su parte, acusan a los jóvenes de irresponsabilidad e incongruencia, de un afán destructor que no ofrece a cambio un programa constructivo, de una visión del presente que ignora el pasado y el futuro, y de un idealismo utópico que no conduce a nada práctico.

En síntesis, los jóvenes se quejan de falta de libertad: la opresión de la sociedad de consumo y del "autoritarismo" familiar, en tanto que los adultos los censuran por su falta de responsabilidad. En el fondo, el problema es una crisis de autoridad: ni los jóvenes la reconocen ni los adultos la ejercen bien.

La autoridad debe entenderse como prestigio, es decir, como aceptación mutua sobre la base del respeto y la confianza, la comprensión y la exigencia.

En esta crisis de autoridad, quien más sufre es el adulto, por ser más consciente. Su desconcierto, que le lleva a claudicar unas veces y otras al rigorismo, sólo puede compararse con la temeridad de las afirmaciones categóricas de los jóvenes en nombre de una "autenticidad" idealizada. El joven, según él, es franco y auténtico; según los adultos, es acusador y fiscal.

Dada la realidad del conflicto se debe estudiar cómo se está planteando y qué reacciones adoptan los padres para poderlos orientar, ya que el motivo inmediato parece ver solamente la pugna de actividades sobre algunos aspectos de la vida del adolescente como el amor, la libertad, etcétera.

¿QUÉ HACEN Y QUÉ DEBEN HACER LOS PADRES?

Ginott[2] enumera las reacciones más frecuentes de los padres ante las "ofensas" de sus hijos. Primero, son severos; si fracasan, se vuelven amables; al no conseguir nada, razonan y, seguidamente, sintiéndose ridículos, corrigen y terminan volviendo a la amenaza y al castigo. En su fuero interno están convencidos de que han dado a sus hijos más de lo que éstos les dieron a ellos, lo cual atenúa su desconcierto y suaviza su culpabilidad, ligera o dramática, por no haber obrado de otro modo a como lo hicieron. Pero no saben cómo hacerlo, ni en el presente ni en el futuro.

A continuación presentamos algunas reacciones de los padres:

Lo que hacen	*Lo que deben hacer*
1. Dan sermones.	1. Escuchar.
2. Insultan, hieren.	2. Hablar con prudencia, aun cuando estén enojados.
3. Elogian o critican a la persona.	3. Elogiar o criticar el hecho, no a la persona.
4. Mezclan críticas y elogios.	4. Expresar el enojo de forma constructiva.
5. Utilizan contradicciones.	5. Ser honrado y leal con las palabras.
6. Hablan muy francamente.	6. Ser francos sin ofender.
7. Hablan del adolescente delante de él.	7. Hablar con él en privado.
8. Pretenden ser camaradas de los hijos.	8. Ser amigos y también padres.
9. Demuestran que tienen razón.	9. No agotar sus argumentos. Hablar con sobriedad.
10. Conceden todo.	10. Ceder en parte.
11. Hacen chantajes sentimentales: "Lo que nos hace sufrir. . ."	11. Ayudarle a valorar el esfuerzo personal.
12. Se fijan sobre todo en los defectos.	12. Reconocer sus cualidades y apoyarse en ellas.

[2] G. Ginott, *Entre padres y adolescentes*, Plaza y Janés, 1970, p. 26.

Sin ser exhaustivos, en el cuadro anterior se han comparado algunas de las reacciones de los padres, agrupadas en dos columnas.

CÓMO ORIENTAR A LOS PADRES

Un famoso proverbio oriental recomienda:

Tranquilidad ante lo inevitable y esperar el cambio.

Esto, evidentemente, es importante, pero no basta. El padre debe conocer el lado positivo de la crisis de enfrentamiento que viven sus hijos adolescentes y, hasta cierto punto, adaptarse a ella. Es decir, si la crisis provoca inestabilidad y contradicción en los hijos, el padre deberá ceder o exigir según convenga en cada momento, viviendo hasta sus límites la flexibilidad.

Esto es bastante difícil si se tiene en cuenta que los padres son también seres humanos, con defectos y virtudes y, por tanto, con riesgo de cometer errores educativos. Por eso una buena medida por tomar en la educación de los hijos adolescentes es la serenidad de los padres. Este objetivo es tanto más arduo cuanto que hay que obrar en un marco de desconcierto.

Esquema 1:

$$\text{Serenidad} \begin{cases} \text{Seguridad de unos criterios firmes.} \\ \text{Armonía en la convivencia familiar.} \end{cases}$$

La serenidad de los padres depende, por un lado, de la seguridad de unos criterios firmes, certeros y aceptados plenamente y, por otro, de la armonía en la convivencia familiar, en concreto con los hijos adolescentes. La educación es siempre arriesgada y problemática, pero lo es más en esta edad. Ya no se trata del dilema: ¿Qué se debe aceptar o consentir?, ¿qué hay que rechazar o prohibir?, ¿cómo exigir sin molestarlo?, ¿cómo exigir sin enojarme?

Como educar es ponerse al servicio de la mejora del educando, los padres deberán evitar algunos errores, como ceder siempre por evitar conflictos, hablar en un tono agresivo, etc. No les hacen gran servicio a sus hijos quienes no toman decisiones personales (como responsables que son de la educación), sino que se dejan arrastrar por la concesión indiscriminada, el temor al enfrentamiento o el derrotismo ante las enormes fuerzas manipuladoras del ambiente.

Aparentemente, en lo que deben superarse los padres es en aprender a comportarse con serenidad cuando hay conflicto con los hijos, pero

más importante aún es ahondar en la verdad de los criterios que iluminan un correcto enfoque de la vida personal y de la educación.

Hay que orientar procurando que los adolescentes acepten esta orientación.

Los hijos suelen respetar más a un padre sobrio en gratificaciones, pero congruente, que a un padre sospechosamente tolerante que abdica hasta de sus más elementales principios.

No obstante, habrá que atender a los dos aspectos siguientes: qué hacer y cómo hacerlo.

Más que en el principio de autoridad hay que apoyarse en la autoridad de los principios.

CONFLICTOS ENTRE LOS PADRES Y LOS HIJOS ADOLESCENTES

Entendemos por "conflicto" un enfrentamiento abierto.

Así enfocada la cuestión, se observa una multiplicidad de elementos en los conflictos que surgen entre los padres y los hijos adolescentes, de tal modo que se hace difícil detectarlos y aislarlos con fines de estudio porque están relacionados entre sí de tal forma que resulta arduo distinguir las causas de sus efectos secundarios. No obstante, lo intentaremos a fin de descubrir unas constantes o, al menos, elementos de alta frecuencia que nos permitan sistematizar nuestro estudio.

Con respecto a los elementos que intervienen en los conflictos, hemos elegido un sistema triangular de elementos interactuantes, en cuyos vértices se sitúan los padres, los hijos y el ambiente, respectivamente.

Recordemos que los hijos no lo son nada más de sus padres; son también hijos de su tiempo.

Esquema 2:

Hay una retroalimentación entre los tres.

El ambiente es contemplado en dos vertientes: las ideas y los valores predominantes en la sociedad de hoy, y la presencia de los amigos, cuya influencia contrasta por su novedad con la de otras épocas debido al contexto socio-económico en que nos movemos.

Una vez perfilado el cuadro, nos podemos detener en dos afirmaciones:

La *primera afirmación* se refiere a los tres elementos que se retroalimentan entre sí, como la bola de nieve que aumenta su tamaño por acumulación (la ocasión presente se suma a las ocasiones pasadas de conflicto), y la presión exterior (influencias externas y presiones internas, actitudes y resentimientos), junto con el tiempo que tarda el conflicto en resolverse. Esto último puede suceder de varios modos, también comparables a la trayectoria de la bola de nieve: un obstáculo (un árbol, por ejemplo) la deshace violentamente, o el sol la deshace suave y lentamenta por el calor. Los conflictos tienen dos soluciones previsibles: la ruptura de la relación entre los padres y los hijos o la intervención benéfica de un agente exterior, de un orientador, sea profesional o no, pero que sobre todo posea una virtud especial: la humildad y el amor verdadero que conmueve y ablanda los corazones, deshaciendo la dureza provocada por el amor propio.

La *segunda afirmación* se refiere a los ámbitos en que se dan los conflictos. Aparentemente los conflictos se plantean al nivel exterior, de los comportamientos; pero hunden sus raíces en lo profundo, en el mundo de los valores. Entendemos aquí por "valores" los criterios firmemente aceptados o ideales, con fuerza suficiente para motivar un determinado comportamiento.

Podemos sintetizar el cuadro de los elementos que serán objeto de nuestro estudio:

Esquema 3:

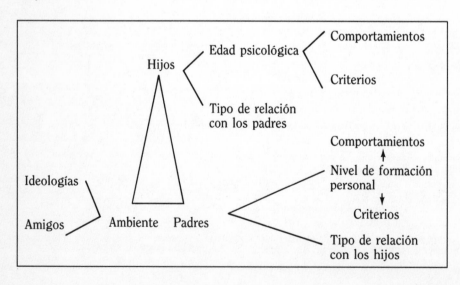

EL AMBIENTE

En los años cincuenta, dice P. Orive,[3] los adolescentes que se fugaban de su casa solían regresar en su mayoría porque no tenían a dónde ir. A partir de los años sesenta regresan muchos menos, pues casi siempre los acoge y protege una pandilla de "amigos".

Con la aceleración de la historia y la universalización de las costumbres, este fenómeno de independencia prematura se va ampliando: en el tiempo, porque cada vez hay más jóvenes y, en el espacio, porque cada vez hay más lugares y ambientes a mayor distancia geográfica.

ORIGEN Y DESARROLLO DE LOS CONFLICTOS

Destacamos para nuestro objeto dos ideas:

1. Los conflictos se originan en los comportamientos, pero van hundiendo sus raíces en lo profundo: en los criterios y en los motivos profundos.
2. En los conflictos influye notablemente el ambiente.

Si los padres no educan, entonces se pueden prever resultados desastrosos, aunque, evidentemente, no haya que culpar sólo a los padres.

Es difícil reproducir aquí las fases de un conflicto que en cada caso adopta formas peculiares. Por eso reconstruiremos un conflicto teórico donde intervengan las diversas "constantes" o notas comunes que hemos observado en nuestra investigación.

1. El origen próximo del conflicto suele coincidir con el cambio que se opera en el adolescente a consecuencia de sus transformaciones internas.
2. El origen remoto suele estar en el pasado, en una historia educativa de la que el hijo extrae datos nunca antes cuestionados, pero que ahora utiliza como armas contra sus padres.
3. Sobre uno y otro punto gravita la influencia ambiental.

"Ni me comprendes ni me has comprendido nunca", le reprocha Carmen, de 17 años, a su padre viudo, que había confiado a su esposa la educación de sus hijas.

El pasado se vincula al presente cuando éste comporta algo desagradable para el hijo: una censura, una prohibición de los padres.

Los padres se quejan de que el adolescente:

[3] P. Orive, *Riesgo en la adolescencia*, G. del Toro, Madrid, 1972, pp. 348 y ss.

1. No habla en la casa.
2. No colabora.
3. No obedece.

Los adolescentes reprueban de sus padres:

1. La rigidez en la educación y, en consecuencia, las prohibiciones o castigos, los cuales son percibidos como ataques a su intimidad y a su libertad.
2. Que hurguen en sus pertenencias con el fin de enterarse de sus cosas.
3. Que fiscalicen sus salidas, sus lecturas, sus diversiones.
4. Que lleguen a tener celos de sus amigos.

SUGERENCIAS PARA ABORDAR Y RESOLVER LOS CONFLICTOS

1. Lo que está en juego es el sentido de unos valores o criterios encarnados en una conducta. Los padres deben descubrir dónde están los criterios verdaderos, no sólo para la educación, sino para sí mismos.
2. Congruencia de vida, la cual se apoya en un pensamiento recto, en la verdad.
3. Los padres que actuaron bien en el conflicto "no naufragarán en la tormenta de éste".
4. Pero no es sólo cuestión de los padres. Los hijos también deben colaborar para la resolución de los conflictos en relación con el ambiente.
5. Adoptar una postura activa: puede intervenir una tercera persona, como un amigo, un familiar o un orientador.
6. Defenderse de las influencias negativas del ambiente.

¿Cómo? Saneando el ambiente, dando testimonio vivo de claridad de ideas y congruencia de conducta; arbitrando fórmulas donde los hijos reciban una información recta y verdadera que les permita tomar decisiones acertadas.

CUESTIONARIO DE RELACIONES PADRES-HIJOS

En este cuestionario se formulan 24 deseos de hijos adolescentes respecto al comportamiento de sus padres.

Cada hijo deberá calificar del 1 al 10, cómo son sus padres y cómo desearía que fueran.

	Cómo son mis padres	*Cómo me gustaría que fueran*
1. Me quieren y me comprenden.		
2. Puedo hablar con ellos.		
3. Son sinceros conmigo.		
4. No desconfían de mí y me creen cuando les digo las cosas.		
5. Son amigos míos, además de padres.		

Define qué entiendes por amistad:

_____

_____

_____

6. **Responden a todas mis preguntas.**		
7. No me prohíben hacer cosas que consideran buenas.		
8. Me permiten vivir mis valores.		

¿Qué valores son para ti los más importantes?

_____

_____

_____

_____

9. **Cumplen las promesas que me hacen.**		
10. Ellos hacen lo que quieren que yo haga. Existe coherencia entre lo que dicen y lo que hacen.		
11. Me aceptan como soy. No me comparan con los demás.		
12. No pretenden tener siempre la razón y escuchan mis razones.		
13. Cuando se equivocan lo reconocen y lo dicen.		

	Cómo son mis padres	Cómo me gustaría que fueran
14. Valoran lo que hago bien y no se fijan sólo en lo que hago mal.		
15. No se enojan cuando obtengo malas calificaciones, sino que me guían para aprender a estudiar mejor.		
16. Cuando ellos están enojados no se desquitan conmigo.		
17. No discuten entre ellos.		
18. No me gritan cuando me llaman la atención.		
19. No me ponen en ridículo cuando hablan con mis profesores.		
20. Están conmigo el tiempo necesario.		
21. Me tratan conforme a mi edad: ni como niño ni como adulto.		

TRABAJO EN EQUIPO

Lectura y análisis del caso:

ME SIENTO DEFRAUDADA

"Me siento defraudada Norma, . . ."

Así empezó Marcela su relato. Había acudido a una amiga, que es orientadora familiar, en solicitud de ayuda. Se había decidido a ello porque había llegado al punto en que estaba desconcertada. Por primera vez se percataba de que no veía claro cuál era el diagnóstico que convenía a su familia; sentía que perdía el control.

Norma prestó especial atención a lo que Marcela le refería. Esta última presentó un esquema general, a modo de balance.

Eran siete personas en su familia. El matrimonio, compuesto por Ricardo, su marido (técnico en una empresa de refrigeradores) y ella, ama de casa, y con cinco hijos cuyas edades fluctuaban entre los 10 y los 20 años, todos ellos estudiantes. Pues bien, Marcela creía que el noventa por ciento del trabajo y de la responsabilidad familiar gravitaban sobre ella. Y ello era así, porque Marcela no había sabido o no había podido delegar ciertas funciones en los demás, pero no porque no hubiera querido que así fuese; de eso estaba segura. Según ella, la constante de su vida había sido pedir, reclamar, exigir y enojarse para conseguir que los hijos ordenaran su cuarto o fueran más cuidadosos con la ropa, con el agua caliente o con el teléfono, por ejemplo.

Cien veces ellos habían prometido dejar arreglado el cuarto de estar después de comer y otras tantas hubo necesidad de recordárselos. Alguna vez protestaron:

—¿Para qué lo dices si sabes que lo vamos a hacer?

Lo cual no siempre era verdad, porque en ocasiones faltaba algo: barrer, recoger las cosas, etc. Cuando esto sucedía, ellos siempre tenían razón:

—Yo ya hice lo mío; eso le tocaba a Luis, y se fue sin hacerlo. . .

Como fuese, Marcela no podía desentenderse. Pero sus hijos ya eran mayorcitos y ella empezaba a cansarse de tener que andar tras ellos. Además, observaba que a los hijos les molestaba que su mamá los vigilara y fiscalizara continuamente. Se habían quejado de falta de confianza, pero ella replicaba que era realismo. . .

Luego estaba Ricardo. Bueno, trabajador, cordial y amable con su esposa y con sus hijos. Sólo que en ciertas ocasiones se comportaba como si fuese un hijo más (al menos, ésa era la impresión de Marcela): "¿Qué camisa me pongo? ¿Quién me sirve la cena?" Ricardo escuchaba en silencio las discusiones entre la mamá y los hijos, como si nada de eso fuera asunto suyo, excepto, claro está, cuando Marcela montaba en cólera. Entonces él tomaba partido por ella. Ponía en orden a los hijos con un grito y aquello funcionaba, pero sólo en cuanto a lo material. Durante algunas horas descendía el ritmo vital de la casa: ni risas ni bromas y ni siquiera esas peleas de los hermanos que, más que de conflicto, son signo de espontaneidad y de confianza. Así que Marcela tampoco podía apoyarse mucho en Ricardo. Tenía miedo de las consecuencias.

El acontecimiento que motivó la entrevista de Marcela con Norma había ocurrido la víspera. Con los datos aún frescos, Marcela inició su relato.

"Ayer fue domingo, un día radiante de primavera. Habíamos planeado salir de paseo al campo y regresar esa misma tarde. Para mí era como una excursión. Pocos días puedo acompañarles y es difícil que todos quieran venir con nosotros. Pero tenía que dejar las camas hechas, la cocina recogida y la mesa puesta para que al regresar no hubiera más quehacer que calentar la comida. Así que me puse a 'apurarlos':

—A ver esas camas; la ropa en su lugar. . . Tú, recoge el desayuno. . . Apúrate en el baño, que tienen que entrar. . .

"Lo de siempre; sólo que ese día todo fue más apresurado porque teníamos que salir. Y mientras daba órdenes aquí y allá iba sintiendo como un peso. Los paseos tenían un precio para mí. . . ¿Realmente valdría la pena?

"En esto, ¡el colmo! Chucho, el más pequeño, quería ponerse un pantalón que estaba descosido.

—No importa, me lo pongo así. . .

—Quítatelo, así lo rompes más; dámelo, te lo coso en un momento. . .

"Ahora eran los demás los que me apuraban: 'No llegaremos; siempre te pones a hacer cosas a última hora; siempre tenemos que esperarte a ti. . .'

"De pronto me encontré gritándoles:

—¡Bien, váyanse todos! ¡yo me quedo!

"El tono y el gesto son fáciles de imaginar. Finalmente nos fuimos, pero cabizbajos y silenciosos. Yo había 'aguado' el paseo.

"Pero por otro lado, ¿convendría actuar con 'manga ancha' cuando las cosas no funcionan?

"Llegamos tarde. Hicimos el paseo en grupos, los hijos adelante y los padres detrás. Ricardo trataba de animarme y yo quería sobreponerme, pero sin poder superar el enojo.

"Me di cuenta, entonces, de que necesitaba que alguien me ayudara. Por eso he venido. . .

"Comimos en medio de un ambiente tenso. Y como los quiero mucho y no puedo soportar por mucho tiempo el enojo, después de comer me encontré, sin proponérmelo, lanzándoles el siguiente discurso:

—Les voy exponer un problema. En mi vida hice una opción al casarme con con su papá. Era una opción de amor. A partir de ese momento todo tenía sentido si estaba iluminado por el hecho de amar y ser amada, que era lo que yo había elegido. En este amor entraban ustedes, como fruto del amor que sentía por su papá. Y, consiguientemente, asumí libremente las consecuencias que trajera aquella opción: atención y cuidado, educación y guía. En fin, la creación y el sostenimiento de un hogar. Pero todo eso tiene también otros componentes. Cuando se junta un determinado número de personas se produce una carga de trabajo material que alguien debe atender. Si además los hijos son personas en desarrollo, los padres tenemos la responsabilidad de orientarles, lo que implica dedicación y esfuerzo, y a veces incomodidades y contrariedades. Pues bien, si llega un momento en que tanto el trabajo material como la responsabilidad educativa y la dirección del hogar ocupan la mayor parte de mi tiempo y de mi preocupación, me da la impresión de que se trata de un fraude. Me siento utilizada, instrumentalizada, como defraudada. Este es el problema que les expongo."

Marcela dudaba al relatar este suceso de si ella había acertado con el diagnóstico o, una vez más, se había equivocado.

Comentarios del caso

El caso describe, en el contexto de una excursión familiar, el sentimiento de insatisfacción por la marcha de su hogar de una madre de cinco hijos, la cual se siente sobrepasada por las labores que es necesario desempeñar en una familia numerosa y en donde los hijos no colaboran lo suficiente. La madre se siente descontenta por la sequedad y la aspereza que se generan cada vez que pretende lograr un mayor equilibrio en las tareas hogareñas. También señala la escasa colaboración del marido en esas tareas y en la cotidiana educación de los hijos.

Este relato sirve para reflexionar acerca de la autoridad de los padres y la participación familiar, y también permite estudiar ciertos detalles del desgaste de la autoridad. Por eso partimos de él para encontrar soluciones prácticas a la cuestión de la participación familiar.

Posibles objetivos

1. Considerar los efectos negativos de la pérdida o del mal uso de la autoridad en la vida familiar.
2. Estudiar las ventajas y los inconvenientes de que el padre y la madre tengan estilos muy diversos para ejercer la autoridad.
3. Considerar la aparente contradicción entre lograr imponer el orden e instaurar una convivencia feliz en la familia.
4. Considerar la importancia de las situaciones tensas que se presentan en el caso expuesto.

Posibles preguntas

1. ¿Qué relación existe entre la forma en que la madre ejerce la autoridad y el comportamiento familiar de los hijos?
2. ¿Se puede decir que existe complementariedad en los estilos de ejercer la autoridad de la madre y del padre?
3. ¿El modo de exigir que los hijos cumplan con los trabajos y responsabilidades familiares es el adecuado?
4. ¿Cómo aceptan los hijos la autoridad de la madre? ¿Y la del padre?
5. ¿Cuáles son los aspectos positivos de la actuación de la madre? ¿Es ella consciente de ellos o los valora suficientemente?

Información básica

Para dirigir este caso se requiere un amplio conocimiento de la autoridad en la familia, el cual deberá complementarse con el estudio de obediencia de los hijos.

Dado que el conflicto de autoridad se manifiesta y pone de relieve en el momento de intentar lograr que los hijos colaboren en las tareas de la casa y en las responsabilidades familiares, será necesario recordar los principales puntos relativos a la participación en la familia.

Para poder discutir con profundidad la insatisfacción que la madre manifiesta se requiere cierta preparación previa en el tema del trabajo como servicio y de las virtudes del optimismo y la alegría.

Sexta parte

Educación y práctica de los valores

El ejercicio de la autoridad y la práctica de las virtudes[1]

Objetivo:

Comprender que el ejercicio de la autoridad basada en el prestigio personal es un medio eficaz para la práctica de los valores en la familia y en la escuela.

Esquema de apoyo didáctico:

Esquema 1.

Desarrollo del tema (50 min):

El ejercicio de la autoridad y la práctica de las virtudes

1. Introducción.
2. Autoridad-rebeldía.
3. Autoridad-virtudes humanas.
4. Autoridad-amistad.

Descanso (20 min).

Trabajo en equipo (20 min):

Leer, analizar y obtener posibles soluciones del caso *La familia Sánchez*.

Sesión plenaria (10 min):

Discusión en grupo del caso con pluralidad de soluciones.

---

[1] Basado en Otero, *Autonomía y autoridad en la familia*, EUNSA, España, 1975, pp. 97-102 y 115-125.

Esquema de apoyo didáctico

Esquema 1:

El modo en que un padre premia y castiga muestra su modo de querer. Ese modo de sancionar puede provocar en los hijos:

1. Rebeldía.
2. Responsabilidad.

Los castigos pueden ser considerados por los hijos como:

1. Manía.
2. Prohibición.
3. Desfogue de un problema.
4. Una sanción merecida.
5. Una sanción que busca mejorarlos.
6. Una manera de remediar un daño.

Una de las mejores maneras de sancionar es preguntando al interesado:

1. Si se siente responsable de ese acto.
2. Cuando su respuesta es afirmativa, se le propone que sugiera él la sanción que considere más conveniente.
3. Si es muy dura, hay que moderarla. La palabra "moderar" significa suavizar.

Los premios y los castigos (las sanciones) no se han de dirigir a la persona, sino al hecho realizado. Así, no se premia a un niño porque sea inteligente, sino porque hizo un trabajo o un examen brillante. No se castiga a un alumno porque sea deficiente, sino porque su esfuerzo no corresponde a sus posibilidades. Nunca se le debe decir "eres un tonto", sino "puedes hacerlo mejor".

INTRODUCCIÓN

El uso de premios y castigos pone a prueba, en los padres, el ejercicio de su autoridad y de una serie de virtudes. Es decir, muestra la calidad de su amor a los hijos. Esta calidad se pone de manifiesto en la mejora del otro o de los otros.

En cuanto el modo de sancionar, éste es un reflejo del modo de querer: puede fomentar la autonomía y la responsabilidad o, por el contrario, la rebeldía.

Las causas de la rebeldía no radican únicamente en el modo de sancionar y, en general, en el modo de ejercer la autoridad, ya que pueden influir otros elementos como son las diversas presiones ambientales o de tipo ideológico.

Hay que pensar que la televisión puede llegar a mandar en la casa. Se debe estar atento a la información, a las lecturas y a las influencias que inciden sobre nuestros hijos.

AUTORIDAD-REBELDÍA

Los jóvenes no pueden vivir sin autoridad. Algunos rehúyen la autoridad paterna, no porque ésta sea demasiado dura, sino porque se ha dejado de ejercer o no se ejerce. Por eso ellos mismos inventan autoridades estrictas y arbitrarias, incluso feroces, dentro de las bandas juveniles, donde el jefe es más duro que un padre autoritario.

La sobreprotección puede ser causa de rebelión.

Las sanciones (premios y castigos) pueden ser eficaces cuando son manifestaciones de cariño y están apoyadas en unos valores vividos, que no se imponen.

A los premios y castigos deben antecederlos comprensión y ejemplo.

Puede suceder que las sanciones que no sean percibidas por los hijos como sanciones, sino como manía de los padres, como regalos arbitrarios, como prohibiciones injustificadas o como resultado de relaciones conflictivas.

A veces los padres no son firmes en las sanciones por miedo a perder el afecto de los hijos.

Cuando esto sucede, muchos padres tienden, paulatinamente, a no ejercer su autoridad ante los malentendidos que se traducen en rebeldía.

No es la cantidad sino la calidad de las sanciones lo que apoya la autoridad educativa, lo que por consiguiente evita la rebeldía de los hijos. Esa calidad resulta perjudicada por muchos factores ambientales y personales. Entre estos últimos figura la resignada desorientación de muchos padres, que no saben qué hacer y se muestran indecisos ante la perspectiva de sus propios hijos.

AUTORIDAD-VIRTUDES HUMANAS

¿Podemos hacer algo los educadores cuando nos encontramos con tantas limitaciones ambientales y personales?

Mantener o recuperar la autoridad perdida puede lograrse con el esfuerzo por adquirir y practicar virtudes. Todos, en mayor o menor grado, tenemos virtudes.

Pero a fuerza de no practicarlas pueden quedar reducidas a un mínimo apenas perceptible.

Nuestra lucha por adquirirlas consiste en practicarlas, aprovechando para ello cualquier ocasión, ya sea o no importante.

Pero, ¿qué virtudes hay que practicar? ¿La sinceridad, la fortaleza, la serenidad, la paciencia, la alegría? Indudablemente, todas son importantes. No se trata de practicar una o unas cuantas virtudes. Es preciso esforzarse por adquirir y practicar todas. Cada una se entrelaza con las demás; así, los intentos por ser sinceros nos hacen justos, alegres, prudentes, serenos, etcétera.

El esfuerzo tiene un efecto multiplicador porque las cualidades se interrelacionan.

Cuando se observa la inquietud de tantos padres sobre su autoridad se siente la necesidad de recomendarles serenidad, aunque sólo sea para actuar con inteligencia: quien conserva la calma está en condiciones de pensar, de estudiar los pros y los contras. Después, sosegadamente, interviene con decisión.

Las cualidades humanas ofrecen un inmenso panorama de lucha personal. Enlazan con muy diversos y valiosos objetivos educativos: desde fomentar el amor a la verdad hasta aprender a rectificar cuando uno se equivoca.

Una autoridad será más eficaz cuanto más se apoye en el ejemplo, si por ejemplo entendemos no tanto los resultados como el esfuerzo por obtenerlos.

Este empeño implica *juventud*, es decir, dar más de sí. En cada vida hay novedad y juventud mientras hay afán de dar más, en el sentido de servir mejor.

Si lo cotidiano siempre ofrece un *más*, entonces es lo perpetuamente nuevo. Porque nuevo es lo que da siempre más de sí. Lo nuevo no tiene por qué llevar necesariamente a un cambio. Implicará cambio sólo si uno descubre que estaba equivocado y rectifica; si poco a poco se descubren valores a los que es necesario responder.

Hay padres de familia que ante los fracasos con los hijos piensan que deben comportarse de modo distinto para tener éxito; por ejemplo, imitando las modas juveniles. Pero el éxito no está en el cambio por el cambio, sino en un proceso de mejora emprendido con optimismo y con la sensación de estrenar cada día la propia vida.

Mantenerse jóvenes quiere decir dar y descubrir más en lo cotidiano.

La influencia paterna, expresada en su autoridad, no es una cuestión de todo o nada, sino de un *más* en calidad y en perseverancia.

AUTORIDAD-AMISTAD

¿Puede la autoridad quedar reducida a la relación padres-hijos?

Hay una autoridad-servicio que se ejerce con los amigos. Cuando hay amistad entre dos personas se puede hablar de una autoridad de amistad: tengo cierta autoridad con mis amigos precisamente por eso, por ser su amigo.

Nos sentimos comprendidos por nuestros amigos, pero no con una comprensión desprovista de exigencia. Nuestros verdaderos amigos nos exigen, y de algún modo nos comportamos de acuerdo con lo que los amigos esperan de nosotros.

La autoridad-servicio, por tanto, no se ejerce sólo con los hijos, sino también con otras personas por medio de la amistad. Es, por otra parte, una autoridad mutuamente ejercida. Y también es servicio por cuanto cada uno colabora con lo mejor de su personalidad.

Hay padres que por un cariño mal entendido hacia su familia tienden a aislarse, a no tener amigos o a tener pocos. De este modo están limitando su área de autoridad: no podrán participar en este aspecto en la educación de sus hijos.

Sólo existe esa autoridad cuando el trabajo se realiza con actitudes positivas. Un trabajo bien hecho, que progresa y hace progresar, que tiene en cuenta los adelantos de la cultura y la técnica, realiza una gran función útil a la humanidad si nos mueve a la generosidad, no al egoísmo ni al provecho propio.

Por tanto, la autoridad de un padre no puede reducirse a la familia. Se ejerce, aunque de otro modo, en los ámbitos de la amistad y del trabajo y, de paso, repercute en las relaciones padres-hijos en forma de autoridad-prestigio.

TRABAJO EN EQUIPO

Leer, analizar y obtener posibles soluciones para el caso:

LA FAMILIA SÁNCHEZ[2]

La familia Sánchez está compuesta por el padre, la madre y tres hijas, de 18, 16 y 15 años. El padre, Blas, un hombre fornido y saludable, criado en los sanos aires de un pueblo de la sierra, como otros muchos se trasladó a Chi-

---

[2] Adaptación del caso *Familia Alonso* de Ana María Navarro y David Isaacs.

huahua para abrirse camino. Su inteligencia natural, superior a la normal, se unió a su clara visión práctica para orientarlo hacia el trabajo de representante de ventas.

Recorre los pueblos de la provincia vendiendo los más variados artículos: productos farmacéuticos, artículos de perfumería, etc. Es un trabajador honrado e infatigable. Sus clientes lo aprecian mucho y solicitan sus servicios, incluso en días y horas fuera de la jornada laboral. Él los atiende siempre:

—Trabajo todo lo que se ofrece y más. Soy el único que gana, y somos cinco. . .

Todas las hijas estudian: "Que tengan la suerte que yo no tuve. En el pueblo, a los 12 años, yo acarreaba la leña y el agua e iba al campo. Tuve que dejar la escuela pronto. Además, mi madre murió y éramos seis hermanos, todos varones: había que hacer hasta las cosas de la casa. Así que el trabajo no me asusta."

Blas se casó con Laura, una muchacha de pueblo muy acostumbrada también a trabajar. Su casita, pequeña, brilla de limpia, aunque Laura dice que le dura poco: "No puedo tener orden porque no tengo lugar."

La hija mayor, Adela, estudia en la universidad con beca. También la segunda tiene beca. Son unas estudiantes sobresalientes; algún ocasional "ocho" obliga a la hija a dar muchas explicaciones al padre. Las calificaciones son muy apreciadas en el hogar, así como la sobriedad de costumbres.

Siendo bastante alegres, apenas tienen amigas. Si salen los domingos, es con sus padres. El resto del tiempo lo dedican a estudiar y a cumplir con sus encargos domésticos: las mayores trapean, ponen y recogen la mesa y hacen los mandados. Estas normas han sido fijadas por la costumbre y además, por la necesidad.

El dinero no abunda: "No hay moda, ni modo. No pueden pretender que se les compre todo lo que ven. Ya lo saben y no lo piden. Se les compra lo necesario y basta." ¿Qué más cosas cuenta Blas? Veamos algo de lo que dice:

"Aunque cueste, el padre o la madre deben conseguir que las hijas hagan las cosas que se les mandan. Por eso hay que pensar dos veces antes de mandar una cosa, para que se den cuenta de que la tienen que hacer. . .

"Si uno manda algo y luego lo abandona, claro, al otro le da flojera y así se desprestigia la autoridad.

"Eso le digo a mi mujer, pero no me hace caso. Por ejemplo, le dice a una: 'A ver si me trapeas el piso'. 'Ya voy, mamá', le contesta. Nunca dicen que no. Pero luego llega la hora de clase, y dicen: 'No tengo tiempo'. Entonces es mi mujer la que lo hace, y luego se queja. Si yo estoy, la obligo a hacerlo; pero no puedo estar a todas horas.

"A mí es al primero al que me cuesta exigirles. Sería más cómodo decir a todo que sí, pero a veces no tengo más remedio que decir que no. Por ejemplo, lo de Adela.

"Adela quería ir a la escuela de Baja California hace dos años. Me pidió permiso. Se lo concedí, pero no había dinero en la casa. Me dijo: 'Yo lo ganaré, papá', y al día siguiente me trajo el periódico: 'Mira, papá: piden estudiantes para cuidar niños'. . . Le respondí: 'Me parece que no te conviene; es mucha responsabilidad. ¿Y si le pasa algo al niño mientras lo cuidas?' 'Lo que pasa', repuso Adela llorando, 'es que no quieres que vaya a Baja California'.

"La llamé aparte: '¿Tú te acuerdas de aquellas dos muchachas del pueblo,

Fina y Lucila? Se fueron a Estados Unidos a trabajar, y una acabó con un hijo sin padre. Mira, ve a la oficina de López, que son amigos; ellos te emplearán'.

"Adela se buscó otro trabajo por su cuenta. Hizo un examen y entró como empleada de medio tiempo en unos almacenes. Con el dinero ganado se fue a Baja California.

"Estábamos en las fiestas del pueblo cuando Adela volvió. Así que le dije: 'Cuando volvamos a Chihuahua me cuentas del viaje'.

"Contra su voluntad y la de sus hermanas, las traje para la casa un día antes de terminar las fiestas: tenía que aprovechar mi viaje de regreso. Se enojaron, sobre todo Adela. Así que cuando le pedí que me contara del viaje, no quiso.

"Unos días después me pidió permiso para algo, no recuerdo qué. Entonces yo le dije: 'Acuérdate que cuando te pedí que me contaras del viaje no quisiste. Mientras no me lo pongas por escrito, claro y detallado, abstente de pedirme nada, porque no te lo concederé.'"

(A partir de aquí se desarrolla un diálogo entre Blas (B) y el entrevistador (E).)

E.– ¿Lo hizo?

B.– Tardó algún tiempo, pero lo hizo con todas las de la ley.

E.– ¿Así que consigue que las hijas sean obedientes al exigirles en estas cosas pequeñas. . .?

B.– Ellas creen que yo no tengo recursos para rebatirles, y por lo regular un padre tiene todos los recursos. Sólo hace falta ponerse a pensar. . .

E.– De hecho, ¿quién cree que ha intervenido más en la educación de sus hijas, usted o su esposa?

B.– Pienso que lo más importante lo he dicho yo. Ella, con decirme que yo soy el más inteligente y que decida yo, hace suficiente. Ahora bien, yo le digo: "Tú y yo siempre unidos, y que los demás digan lo que quieran. Si crees que soy el más inteligente, pues hazme caso."

E.– ¿No cree que actuando así le quita usted un poco de autoridad a la madre ante sus hijas?

B.– No, cada vez ella va actuando más. Yo no puedo estar siempre al quite de lo que pasa. Yo le digo: "No me sometan a juicio todas las cosas que pasan en la casa. Tú tomas una determinación, y si no la cumplen las hijas, entonces acudes a mí."

E.– ¿Con quién hablan más las hijas?

B.– Con la mamá. Pero luego ella me lo cuenta a mí. Aunque pienso que hay cosas, de muchachos, por ejemplo, que no le contarían a ninguno de los dos. Bueno, creo que por el momento no tienen secretos porque ninguna anda con muchachos.

E.– ¿Su mamá les informó sobre cuestiones sexuales?

B.– No. A ella le falta fuerza. De común acuerdo, lo hice yo. Ella decía que yo lo haría mejor. Aguardé el mejor momento, más o menos cuando se hicieran mujeres, un poco para que supieran lo que era eso, otro para prevenirlas contra posibles peligros.

E.– ¿Lo sabían ya?

B.– No lo confesaban.

E.– Cuénteme de su esposa. . .

B.– Qué le voy a decir. . . Es muy trabajadora; demasiado. Y blanda con las hijas. Si alguna vez nos enojamos es por eso. O porque tiene criterios cortos: como apenas sale de la casa no ve más que lo suyo y lo de hoy. Sobre todo en cuestión de dinero.

La hija mayor trabaja en las vacaciones para sus gastos. El dinero se lo entrega a su mamá, pero es para ella. La segunda podía hacer lo mismo, pero no quiso. Así que le dije: "Nos estamos acabando el coche, y cuando éste se acabe veré con qué salgo a trabajar. Como yo tengo que velar por todos, te daré a ti, Laura, menos dinero cada 10 días." Le cayó muy mal. Lloraba y me decía: "No entiendo cómo dices que me quieres y luego me haces esto." Pero ya lo había dicho y no había otro remedio.

Esta hija piensa que me gusta hacerla sufrir, pero se le olvida que tengo la máxima responsabilidad de la familia porque soy el hombre y tengo autoridad.

Su esposa Laura, por su parte, contó algunas cosas también:

"Blas es muy bueno y trabajador; pero todo tiene que estar en orden y las hijas en la casa, porque si no se enoja. Una vez olvidé darle un recado de un cliente y perdió la venta. No se imagina cómo se puso: a las hijas les quitó la tele y a mí me puso pinta. Pero luego se le pasa.

"Cómo yo no salgo, no sé cómo se relaciona uno con los demás. Blas me lo dice a veces, pero no me queda tiempo, y ahora que nos ha castigado con menos dinero, peor aún. Fíjese, todo porque la hija segunda no quería trabajar después de estudiar. Le decía ella a su padre: 'Si he hecho mal, castígame a mí, pero, ¿por qué castigas a mi mamá?'"

COMENTARIOS DEL CASO

Este caso se refiere, sobre todo, al modo de ejercer la autoridad del padre, muy consciente de sus responsabilidades, muy centrado en las necesidades materiales de su familia, pero a la vez rígido y directo, cuando no autoritario.

Posibles objetivos

1. Detectar el estilo de la autoridad del padre de familia.
2. Observar si se complementa o no el modo de ser de ambos cónyuges.
3. Ver en qué medida influye en el ejercicio de la autoridad el modo de entender la educación familiar.
4. Considerar las consecuencias en la familia de una cierta polarización en el trabajo y en las necesidades materiales, así como de los distintos estilos en el ejercicio de la autoridad.

Posibles preguntas

1. ¿Cómo es el estilo de autoridad de Blas? ¿Qué elementos influyen en él?
2. ¿Aceptan su autoridad su esposa y sus hijas? ¿Por qué?

3. ¿Qué aspectos positivos destacarías en este estilo de la autoridad de Blas?
4. ¿En qué debe mejorar Blas su estilo de mandar?

Información básica

Dirigir la discusión de este caso requiere un buen conocimiento del tema. Conviene advertir al público que los demás no necesitan nuestros juicios, sino nuestra ayuda. Ésta será positiva si sabemos detectar un estilo y señalar posibles vías de mejora.

El que dirija este caso debe saber relacionar valores, autoridad y educación.

Educación de la prudencia y la fortaleza

Objetivo:

Obtener conclusiones prácticas sobre la educación de la inteligencia y la voluntad con base en la reflexión sobre la prudencia y la fortaleza.

Esquemas de apoyo didáctico:

Esquemas 1 y 2.

Desarrollo del tema (50 min):

Educación de la prudencia y la fortaleza

1. Introducción.
2. Educación de la prudencia.
3. La prudencia de los padres.
4. El desarrollo de la virtud de la prudencia.
5. Conocer la realidad.
6. Saber enjuiciar.
7. La decisión.
8. Educación de la fortaleza.
9. Resistir y acometer.

Descanso (20 min).

Trabajo en equipo (20 min):

Redactar cinco objetivos para la educación de la fortaleza y de la prudencia.

Sesión plenaria (10 min):

Comentarios en grupo con base en las aportaciones de cada equipo.

Esquema de apoyo didáctico

Esquema 1:

PRUDENCIA

La prudencia es un hábito rector porque influye decisivamente en todos los demás y lleva a actuar con oportunidad en cada ocasión.

La persona prudente ama y desea el bien y lo ejecuta.

La prudencia perfecciona la inteligencia porque lleva al recto conocimiento de lo que se debe hacer.

La persona imprudente actúa:

1. Precipitadamente.
2. Con poco tino.
3. Con cierta desconsideración.
4. De modo voluble, inconstante.
5. De acuerdo con su estado de ánimo.
6. Prejuzgando.
7. Sin objetivos valiosos.
8. Sin discernir una cosa de otra.

FORTALEZA

Es ia virtud que vigoriza al hombre para realizar el bien.

La fortaleza tiene dos aspectos:

1. Resistir: resistir es soportar.
2. Acometer: acometer es iniciar la lucha y proseguirla.

Esquema 2:[1]

La persona prudente procura considerar el punto de vista de los demás o "escuchar las dos campanas".

El dibujo de la página opuesta puede servirnos para ver gráficamente qué significa "escuchar las dos campanas".

1. Es posible tomar el negro como fondo, en cuyo caso destaca como figura una copa.
2. O bien se puede tomar como fondo el blanco para ver dos perfiles humanos.

[1] *Cfr.* P. Lersch, *La estructura de la personalidad*, Scentia, Barcelona, 1974, pp. 334-335.

Muchas veces se afirma que un objeto es cóncavo. Pero otra persona lo ve convexo. Ambas tienen la verdad, pero cada una bajo un punto de vista distinto.

INTRODUCCIÓN

Las virtudes humanas disponen al hombre a obrar el bien propio de su naturaleza, es decir, inclinan el fin propio natural, y cada individuo desarrolla las virtudes con sus actos.

Virtudes rectoras de las que derivan todas las demás:

Prudencia	Justicia
Fortaleza	Templanza

EDUCACIÓN DE LA PRUDENCIA

La prudencia educa el uso de la inteligencia para una correcta actuación.

La palabra "prudencia" viene del latín *previdere*, es decir, ver antes, tener visión, adelantarse a los acontecimientos, medir las acciones y sus consecuencias.

Una persona prudente es una persona oportuna, es decir, con tino para actuar.

David Isaacs la define así: "En su trabajo y en las relaciones con los demás recoge una información que enjuicia de acuerdo con criterios rectos y verdaderos, pondera las consecuencias favorables y desfavorables para él y para los demás antes de tomar una decisión, y luego actúa o deja de actuar, de acuerdo con lo decidido."[2]

La virtud de la prudencia es la que facilita una reflexión adecuada antes de enjuiciar cada situación y, en consecuencia, permite tomar una decisión acertada.

LA PRUDENCIA DE LOS PADRES

Uno de los grandes problemas de los padres de familia consiste en que la vida familiar exige una actividad permanente. Esta actividad dificulta el proceso de reflexión y, por consecuencia, existe una tendencia a reaccionar frente a las situaciones nuevas que van surgiendo más que afrontarlas con serenidad para tomar decisiones acertadas. Es posible que los padres de familia durante un tiempo no tomen ninguna decisión que pudiera titularse importante. Sin embargo, toman un conjunto de pequeñas decisiones que deben ser congruentes con los criterios asimilados en el pasado. Es posible que algunas de esas decisiones no sean congruentes con los valores que se quieren vivir en la familia porque la acción realizada no ha sido considerada de antemano. También es posible que los padres utilicen su actuación e influencia sobre los hijos de un modo técnicamente muy eficaz, pero buscando fines pobres e incluso egoístas.

La imprudencia incluye la precipitación, la inconsideración y la inconstancia; está muy relacionada con la falta de dominio de las pasiones. La imprudencia puede llevar a los padres a prejuzgar a sus hijos o a encasillarlos sin darse cuenta de que la persona es dinámica y cambia un poco cada día. Todos tenemos algún tipo de manía, pequeña o grande, y eso puede influir sobre la visión objetiva de cada situación. Habrá padres que insistirán ciegamente en que sus hijos aprendan el mismo oficio que ellos. Otros, por exceso de ira o por envidia, les reclamarán comportamientos injustos; otros más, teniendo claro lo que buscan, creen que este fin bueno justifica los medios usados para lograrlo.

El fin no justifica los medios.

La prudencia nos incita a fijar objetivos ambiciosos, pero realistas, y a elegir en todas las circunstancias los mejores medios para conseguirlos. La prudencia se apoya sobre todo en la continua preocupación por conocer real y objetivamente la situación en la que nos encontramos y el contexto en que

---

[2] *Cfr.* D. Isaacs, *La educación de las virtudes humanas*, EUNSA, Pamplona, 1983, tomo II, p. 137.

tenemos que realizar los objetivos previstos. Sin esos conocimientos se corre el grave riesgo de equivocarse en la fijación de los objetivos y en la elección de los medios. La prudencia aparece, pues, como la condición de la eficacia. La preocupación por conocer a los hijos, a cada uno en particular, así como las circunstancias de su vida, es condición para desempeñar el papel de padres con eficacia. En este campo la complementariedad del padre y de la madre es muy importante. El padre suele ser más moderado y objetivo, pero menos intuitivo y afectivo que la madre, la cual percibe de forma más global y sentimental a sus hijos, si bien puede perder en realismo.

El hombre debe aplicar su visión profesional y su capacidad de analizar situaciones complejas para complementar a su esposa, que, sobre todo cuando los niños son pequeños y muy dependientes, pueden hacerla perder la serenidad y la capacidad de análisis por estar inmersa en el trabajo y en las dificultades de la crianza.

Por lo que se ha dicho, queda claro que existen muchas áreas en que se puede mejorar en la virtud de la prudencia. Pero para hacerlo así, necesitamos motivos. Realmente, sólo hay un motivo para ser prudente: el deseo de hacer coincidir las decisiones que tomamos y la actuación correspondiente con el fin deseado. Se puede enfocar la virtud, por ejemplo, hacia el logro de la concordia social o hacia la eficacia en el trabajo.

EL DESARROLLO DE LA VIRTUD DE LA PRUDENCIA

Quizá con estas consideraciones quede claro que la virtud de la prudencia necesita cierto desarrollo intelectual. Se trata de:

1. *Discernir*: distinguir una cosa de otra.
2. *Tener criterios*: saber de la bondad, la verdad y la belleza de las cosas.
3. *Enjuiciar*: someter los asuntos a examen.
4. *Decidir*: formar un juicio o evitar una dificultad.

El niño pequeño tendrá muchas dificultades para actuar prudentemente debido a su inmadurez.

Ahora bien, en cuanto empiece a tomar decisiones personales en una zona limitada de autonomía necesitará de esta virtud.

Lo más prudente para un niño será obedecer a sus educadores.

En cuanto el niño haya aprendido los criterios necesarios para poder decidir en una situación concreta puede empezar a desarrollar esta virtud con el asesoramiento adecuado. De este modo, el proceso de aprendizaje se desarrolla desde una obediencia en casi todo hasta las decisiones propias basadas en el consejo pedido voluntariamente por el niño.

En estos momentos habrá que orientarlo con claridad en lo que puede decidir libremente y en lo que debe buscar consejo. Concretamente, el niño va a necesitar asesoramiento en cuestiones en las que no cuenta con una información adecuada ni puede poseerla por su edad o por la dificultad y complejidad de la situación en sí. También necesitará orientación en cualquier situación nueva que no ha tenido la oportunidad de vivir anteriormente.

Al crecer, el proceso de desarrollo de esta virtud se centrará en la gradual aceptación, por parte del joven, de la responsabilidad de actuar con prudencia en la toma de un número cada vez mayor de decisiones. Para ello hará falta aprender a conocer la realidad.

La prudencia se aplica concretamente: "¿Qué debo hacer en esta situación, en este momento?"

Ser prudentes es actuar con oportunidad.

CONOCER LA REALIDAD

Hay que empezar por reconocer que no se está en posesión de toda la verdad. La persona autosuficiente piensa que no necesita poner en duda sus propias apreciaciones ni intenta corroborar la información que tiene. La mejor actitud es aquella en la que, sin desestimar el propio juicio, se reconocen los límites personales, se intenta el equilibrio y, de ser necesario, se rectifica.

Los adolescentes acostumbran ver las cosas negras o blancas, es decir, con pocos matices; por eso destaca la necesidad de que desarrollen una serie de capacidades:

1. Capacidad de observación.
2. Facultad de distinguir entre hechos y opiniones.
3. Aptitud de distinguir entre lo importante y lo secundario.
4. Disposición para buscar información.
5. Talento para seleccionar fuentes.
6. Capacidad de reconocer los propios prejuicios.
7. Capacidad de analizar críticamente la información recibida y de comprobar cualquier aspecto dudoso.
8. Aptitud para relacionar causa y efecto.
9. Facultad de reconocer qué información es necesaria en cada caso.
10. Capacidad de recordar.

Para el conocimiento de la realidad es razonable insistir en que los niños aumenten su capacidad de observación

ayudándoles a descubrir nuevos aspectos de la vida, a fijar la atención y a ser más sensibles. En este sentido, se les puede llamar la atención para que observen algún pájaro, por ejemplo, y reconozcan sus características. De esta manera aprenden también a clasificar animales, plantas, etc., lo que es, en sí, un acto de enjuiciar unos hechos de acuerdo con unos criterios.

La información importante para reconocer un pájaro puede ser su forma, su color, cómo canta, etc., y la información secundaria será que estaba sobre una silla o en un tronco, etc. Si dos hermanos han visto al animal en cuestión, esto permitirá mostrarles que cada uno lo ha visto de un modo distinto: el color, el tamaño, etc., y así descubrirán que existen opiniones y hechos, y que cada uno lo ha visto de un modo distinto. Al apuntar los hechos observados podrán buscar el animal en un libro de referencia, en una biblioteca o preguntar a un experto. Aprenderán que, entre distintas fuentes, puede haber una más segura.

Hasta aquí hemos seguido la relación de las capacidades apuntadas, pero se podría seguir con el mismo ejemplo hasta el último punto, que dice: "capacidad de recordar". La consecuencia de este proceso es que el niño podrá enjuiciar correctamente de acuerdo con los criterios adecuados y será, por tanto, más realista.

SABER ENJUICIAR

La prudencia como virtud recobra su sentido pleno cuando la persona reconoce la razón de ser de su propia vida. Pieper dice: "Prudente puede ser sólo aquél que antes y a la par ama y quiere el bien; mas sólo aquél que de antemano es ya prudente puede ejecutar el bien. Pero como, a la vez, el amor del bien crece gracias a la acción, los fundamentos de la prudencia ganan en solidez y hondura cuando más fecunda es ella."[3] Amar el bien supone reconocer los valores permanentes que lo integran. Únicamente así el joven puede llegar a enjuiciar correctamente. Por ejemplo, si un hijo no aceptara la importancia de la justicia, podría decidir hacer algo egoístamente, aplicando su capacidad crítica perfectamente pero siendo imprudente y, además, injusto con otras personas. Podría considerar múltiples situaciones para obtener placer superficial y elegir eficazmente entre ellos en función de sus propios gustos como criterio único, en lugar de elegir entre una amplia gama de actividades que podría realizar a favor de los demás, contemplando las necesidades ajenas como criterio de decisión.

La prudencia perfecciona la inteligencia en el conocimiento de la dimensión ética de los actos humanos, por eso es "recto conocimiento de lo que se debe obrar". La prudencia agudiza la mente de la persona para conocer los pormenores que ayudan a alcanzar una finalidad.

La prudencia exige la ponderación de la realidad y de los propios deberes.

[3] J. Pieper, *Las virtudes fundamentales*, Rialp, Madrid, 1976, p. 75.

LA DECISIÓN

Podría pensarse que el hombre prudente es el que nunca se equivoca porque nunca toma una decisión. Esto es falso.

El prudente es el que sabe rectificar sus errores.

"Es prudente porque prefiere no acertar veinte veces antes que dejarse llevar de un cómodo abstencionismo. No obra con alocada precipitación o con absurda temeridad, pero asume el riesgo de sus decisiones y no renuncia a conseguir el bien por miedo a no acertar."[4]

Las decisiones que tendrán que aprender a tomar los niños estarán en relación con su trabajo escolar, con las relaciones en la familia y con sus relaciones sociales. Serán decisiones a tomar después de haber enjuiciado a personas o sucesos, al enfrentarse con situaciones conflictivas, al adaptarse al cambio, después de reflexionar sobre los valores que se consideran importantes en la propia vida, respecto a la planificación del futuro profesional, etc.[5] Y los padres pueden ayudarles a los hijos procurando, en primer lugar, que éstos comprendan y asuman personalmente sus órdenes; luego ayudándoles a considerar distintas alternativas y, por último, preguntándoles para asegurarse que los hijos consideran seriamente las opciones antes de decidir por ellos mismos. Aquí no hay recetas. El riesgo de dejar a los hijos decidir por su cuenta tiene que ser calculado.

Para ser prudente hace falta orientación y pedir consejo sin tomarlo necesariamente.

Se notará que un hijo está desarrollando la virtud de la prudencia porque pide consejo, porque pondera esta información y la discute con sus padres y con otras personas, porque llega a formar su criterio y porque actúa o deja de actuar después de considerar las consecuencias para él y para los demás.

Hay que decidir, no.

EDUCACIÓN DE LA FORTALEZA

La fortaleza educa el ejercicio de nuestra voluntad.

Es la virtud que vigoriza al hombre para realizar el bien, pese a las dificultades, con constancia y paciencia.

[4] *Ibid.*, p. 88.
[5] *Cfr.* K. Rogers, *Task and Organization*, Wiley and Sons, Nueva York, 1976, p. 351.

El profesor David Isaacs, especialista en el tema, define así a la persona fuerte: "En situaciones ambientales perjudiciales a una mejora personal, resiste a las influencias nocivas, soporta las molestias y se entrega con valentía en caso de poder influir positivamente para vencer las dificultades y para acometer empresas grandes."

Un autor contemporáneo afirma que la fortaleza es:

1. La gran virtud: la virtud de los enamorados.
2. La virtud de los convencidos.
3. La virtud de aquellos que por un ideal que vale la pena son capaces de arrostrar los mayores riesgos.
4. La virtud del caballero andante que por amor a su dama se expone a aventuras sin cuento.
5. La virtud, en fin, del que, sin desconocer lo que vale su vida, la entrega gustosamente, si fuera preciso, en aras de un bien más alto.

Por la fortaleza el hombre aprende a superar las contradicciones que aparecen en la vida.

La fortaleza ayuda a no desanimarse ante los propios defectos; a superar el temor al esfuerzo, a los peligros y a las dificultades que entraña la práctica del deber, y a perseverar con tenacidad para alcanzar las metas propuestas.

Son elementos de la fortaleza:

1. La paciencia.
2. La audacia.
3. La perseverancia.
4. La serenidad.
5. La lealtad.

RESISTIR Y ACOMETER

La virtud de la fortaleza incluye dos aspectos:

1. Resistir.
2. Acometer.

Por lo que se refiere a *resistir*, es más penoso y heroico resistir que atacar, pues cuando se toma la iniciativa es porque se cree tener ventaja. Resistir es soportar.

Existen muchas oportunidades en la vida diaria para que los niños puedan desarrollar la fortaleza:

1. Soportar las molestias que provoca el dentista con sus curaciones.
2. Atender a algún conocido que aburre con su conversación.
3. Aceptar la inyección que aliviará una enfermedad.
4. No hacer ruido cuando el hermanito duerme.
5. Hacer la tarea antes de salir a jugar.
6. Dejar de jugar cuando sea la hora de suspender el juego.
7. No quejarse ante una pequeña molestia del clima o del lugar.
8. Superar la pereza o el mal humor.

A la fortaleza se oponen tres vicios:

1. El temor.
2. La osadía.
3. La indiferencia.

La persona indiferente adopta una actitud pasiva, cómoda o perezosa. Para evitar la indiferencia en los hijos hay que exigirles esfuerzos desde que son pequeños y enseñarles que al hacerlos lograrán algo bueno.

Para no caer en la indiferencia también hace falta la paciencia para seguir adelante y soportar lo que hay que soportar.

La paciencia es la virtud que inclina a soportar sin tristeza ni abatimiento los padecimientos físicos y morales. Y puede ayudar a aclarar esta definición saber que los vicios contrarios son la impaciencia y la insensibilidad.

Por lo que respecta a *acometer*, significa atacar para emprender alguna acción que supone un esfuerzo prolongado y que requiere fuerza física y moral. Podemos ver en seguida por qué los deportes siempre han estado relacionados con la virtud de la fortaleza: dominar la fatiga, el cansancio y la debilidad prepara a la persona para emprender acciones que repercuten directamente en el bien de los demás. El deporte ofrece posibilidades especialmente propicias porque en él existe una motivación inmediata: alcanzar la cumbre de la montaña, ganar el partido, terminar la carrera, mejorar el *record* propio, no defraudar a los compañeros, etcétera.

Para percatarse de las posibilidades de una situación hace falta cierta sensibilidad que se traduce en la "chispa" de la iniciativa. No ocurrirá esto si la persona por costumbre es indiferente, como hemos visto anteriormente. Este momento de iniciativa, de imaginar lo que podría ser mejor sin soñar, supone una actitud hacia la vida que los padres pueden estimular en sus hijos desde pequeños. No se trata de resolver los problemas que pueden resolver los hijos por su cuenta, ni tampoco se trata de descubrirles los problemas cuando los niños mismos deberían darse cuenta de la situación. En todo caso, se puede insinuar que existe algún problema que convendrá resolver. Por ejemplo, si los niños pierden el camión que los lleva a la escuela varias veces, los padres pueden ocuparse directamente de despertarlos y también podrían plantearles el problema. ¿Por qué no piensan en organizarse de tal modo que lleguen a la parada a tiempo? Y luego volverán a preguntarles para asegurarse que han encontrado una solución.

Cuando el adolescente empieza a tomar decisiones propias puede caer en la indiferencia, rechazando las opiniones de sus padres pero sin ser capaz de llegar más allá del rechazo. Así, cualquier persona puede convencer, dada su debilidad. Por otra parte, si no tiene desarrollados los hábitos de la fortaleza, aunque quiera mejorar y emprender acciones en función de algún bien reconocido, no será capaz de soportar las dificultades. La fuerza interior tiene que basarse en la vida pasada.

Si los adolescentes son fuertes en este sentido, entonces se encuentran en el momento de su vida en que tienen más posibilidades de ser generosos, justos, etc., porque están motivados por un intenso y sano idealismo. Es el momento de "conquistar el mundo" o, mejor dicho, de conquistar *su* mundo: el de cada uno.

El desarrollo de la virtud de la fortaleza apoya el desarrollo de todas las demás virtudes. En un mundo lleno de influencias externas a la familia –muchas de ellas perjudiciales para la mejora personal de nuestros hijos– la única manera de asegurarnos de que sobrevivan como personas dignas es llenarlos de fuerza interior, de tal modo que sepan reconocer sus posibilidades y la situación real que los rodea para resistir y acometer, haciendo que sus vidas sean nobles, llenas de entereza y de convicciones positivas.

Séptima parte

Educación de la libertad

Superación de limitaciones personales[1]

Objetivos:

1. Detectar algunas limitaciones personales que coarten de algún modo la libertad.
2. Plantear algunos objetivos educativos para educar la libertad.

Esquemas de apoyo didáctico:

Esquemas 1, 2 y 3.

Desarrollo del tema (50 min):

Superación de limitaciones personales

1. Principales limitaciones: la ignorancia y el egoísmo.
2. Principales objetivos educativos: aprender a pensar y a querer.
3. Saber querer.

Descanso (20 min).

Trabajo en equipo (20 min):

Escribir dos anécdotas que reflejen situaciones familiares relacionadas con la superación de la ignorancia y/o el egoísmo.

Sesión plenaria (10 min):

Comentarios y conclusiones en grupo con base en las aportaciones de cada equipo.

[1] *Cfr.* Otero, *La libertad en la familia*, EUNSA, Pamplona, 1982.

PRINCIPALES LIMITACIONES:
LA IGNORANCIA Y EL EGOÍSMO

A cada uno de las capacidades humanas se oponen una o más limitaciones personales, de modo que la educación de la libertad incluye la superación de algunas de esas limitaciones.

Hay una cuestión central de la educación; el desarrollo intencional de las energías interiores del saber y del querer.

Por ello, desde una perspectiva educativa, las principales limitaciones del ser humano son aquellas que obstaculizan o retrasan el desarrollo de estas energías.

Muchas limitaciones personales pueden englobarse en la expresión "no saber": no saber pensar, no saber informarse, no saber expresarse, no saber decidir, no saber estudiar, no saber trabajar, no saber descansar, no saber respetar, no saber utilizar el dinero, no saber responsabilizarse, etcétera.

Por tanto, una de las limitaciones más graves del hombre es la ignorancia.

La ignorancia perjudica aun más el crecimiento de nuestra libertad cuando resulta esencial para el ser humano aquello que se ignora.

Es más libre quien conoce lo esencial de la vida.

Cada ser humano, con edad suficiente para reflexionar, necesitaría preguntarse a menudo:

1. ¿Qué necesito saber y saber hacer?
2. ¿Cómo podría organizar mi tiempo en función de lo que necesito saber y saber hacer?

Es pues, una cuestión de conocimiento y habilidades. Y, en el fondo, una cuestión de actitudes.

Vencer la ignorancia relacionada con lo esencial es algo que requiere voluntad y tiempo.

No es posible llegar a saber y a saber hacer sin quererlo.

Por ello, las limitaciones personales que se oponen al querer tienen también la categoría de principales. De ahí la importancia, como limitación, de la pasividad, de la comodidad, de la pereza, de la indecisión, de la inconstancia, del egoísmo, etc.; quizá la más grave limitación es esta última.

El egoísmo es el inmoderado y excesivo amor que uno se tiene a sí mismo y que le hace atender desmedidamente a su propio interés sin cuidar del de los demás. Es un amor desordenado.

Cada cual conoce algunas de sus limitaciones, pero no basta conocerlas: necesitamos aceptarnos con esas limitaciones.

Aceptarlas como limitaciones supone estar dispuesto a poner los medios para superarlas, si son superables o, en caso contrario, contar con ellas con sencillez y humildad. O lo que es lo mismo: no negar los límites del ser humano.

Por otra parte, querer superar las principales limitaciones equivale a proponerse unos objetivos educativos.

PRINCIPALES OBJETIVOS EDUCATIVOS: APRENDER A PENSAR Y A QUERER

Esquema 1:

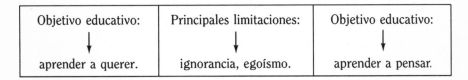

Objetivo educativo:	Principales limitaciones:	Objetivo educativo:
↓	↓	↓
aprender a querer.	ignorancia, egoísmo.	aprender a pensar.

Aprender a querer supone otros muchos objetivos. Entre ellos figuran aprender a decidir —aspecto central de nuestra libertad—, lo que va precedido por el pensamiento y la información.

Por otra parte, resultaría inútil decidir si no se lleva a cabo lo decidido.

Esquema 2:

Proceso educativo:

Pensar ⟶ Informarse ⟶ Decidir ⟶ Realizar lo decidido

En el binomio pensar-informarse la información debe utilizarse para pensar. A mayor pensamiento mayor necesidad de información. La información excesiva es disfuncional. Con una información deficiente se entorpece el desarrollo de la capacidad de pensar.

¿Cómo desarrollar intencionalmente esa capacidad en los hijos? En primer lugar, por vía de contagio, lo que requiere en los educadores la capacidad de seguir aprendiendo a pensar.

Ese constante aprendizaje supone la disposición habitual de aprender de cualquier relación humana o de cualquier actividad realizada mediante la reflexión.

*Se trata de ser personas reflexivas, de abrirse a las personas
mediante un saber amoroso.*

Porque el fin de la vida intelectual del hombre no es conocer, sino saber.

*Los conocimientos no deben ser sino instrumentos para lograr la
sabiduría.*

¿Y cuál es el saber radical que buscamos? El saber del hombre sobre sí
mismo, la verdad de su fin, la verdad de su destino (J. L. López Ibor).

Las dificultades personales para pensar pueden ser muchas. Quizá la
principal es la pereza y la correspondiente falta de exigencia. Pero también
intervienen la dificultad de rectificar y la satisfacción de quien considera
haber alcanzado un saber suficiente.

Algunas dificultades del ambiente podrían ser: la costumbre generaliza-
da de sentir miedo al esfuerzo y la sobrevaloración del bienestar y de la permisividad.

Esas dificultades se pueden superar mediante el tenaz esfuerzo de pensar con más soltura, en soledad y en diálogo, y con la insatisfacción de un
ideal nunca alcanzado.

*Aprender a pensar es la primera fase de superación de las
dificultades, superar los reduccionismos.*[2]

Nada confunde tanto como una verdad a medias. La confusión derivada
de los reduccionismos procede a tomar la parte del todo.

Se enseña a pensar mediante la pregunta inteligente.

Pero muchos padres están más dispuestos a responder que a preguntar.

El hacer es ocasión y medio para perfeccionar el propio ser por cuanto el
trabajo puede ser humanizante y humanizador.

Los valores son lo perfectible en cada ser. Estos valores son de ayer, de
hoy y de mañana. Si permanecen es porque valen.

Son valores humanos tales como: la sinceridad, la lealtad, la justicia, la
generosidad, la honradez, la solidaridad, etcétera.

Para llegar a ser hay que aceptar el ser dado, el propio ser, con su presente y sus potencialidades, con su posible desarrollo personal. Es inacepta-
ble todo lo que contribuye a su reducción, a su deterioro.

Se trataría de que los padres enseñaran a pensar trasmitiendo la propia
disposición de usar diariamente su inteligencia para pensar antes de aceptar
o rechazar, antes de decidir o de hacer.

[2] *Reduccionista* es cualquier teoría que considera al hombre parcialmente, es decir, que toma en
cuenta algún aspecto y niega el resto de la realidad humana.

Saber informarse requiere, primeramente, saber preguntar.

Y las primeras preguntas son éstas:

1. ¿Qué quiero?
2. ¿Qué busco?
3. ¿Qué necesito encontrar?
4. ¿Qué debo saber?, etcétera.

No basta saber preguntar para desarrollar la propia capacidad de informarse. Necesitamos una información selecta.

¿Cómo enseñar a seleccionar? Enseñando a tener criterios.

Criterio, por su etimología, significa saber distinguir, saber discernir. Así, hay que saber distinguir la información de calidad de la información manipulada.

El alimento de la inteligencia es la verdad; sólo con ella se satisface y alcanza su plenitud. Si nos habituamos a no cuidar la calidad de la información que recibimos, alimentando la inteligencia con errores, medias verdades o interpretaciones falsas de la realidad, la inteligencia se enferma.

Algunas enfermedades de la inteligencia son:

1. El agnosticismo: el que duda de su propia capacidad para conocer la verdad.
2. El relativismo: desconfía de la realidad misma, todo es relativo.
3. El subjetivismo: quien se coloca a sí mismo como punto de referencia.

¿En dónde está la verdad?

La verdad está en las cosas y se define como la adecuación de la inteligencia con la realidad.

El hombre no fabrica la verdad; en todo caso, sólo puede fabricar sus propias mentiras. Es por esto que la verdad es una (aunque puede tener distintas facetas o puntos de vista) y el error es múltiple.

Sólo hay una manera de decir *la verdad, lo que pasó, lo que es*, independientemente de que uno lo crea o no; sin embargo, hay muchas formas de mentir.

La inteligencia es como el estómago: este último tiene cierta tolerancia —dependiendo del medio— hacia microbios, bacterias o virus del ambiente. Los controla por el mecanismo de inmunidad o las defensas; pero puede llegar un momento en que el organismo se sature de este tipo de agresiones y se enferme.

Nuestra inteligencia tiene cierta tolerancia al error mediante sus defensas, que son aquellos primeros principios lógicos como: no hay efecto sin causa, el todo es mayor que la parte, etc. Sin embargo, puede llegar un momento en que, si no cuidamos el cultivo de la verdad, contraemos alguna trágica enfermedad del espíritu que fatalmente conduce al error, a la mentira y a la frustración.

Por esto es básico:

Confiar en la capacidad de la inteligencia para conocer la verdad.

Y fomentar la verdad en todos los terrenos, es decir en la:

1. Sinceridad, para conocerse a sí mismo, aceptar nuestras cualidades y reconocer nuestras limitaciones.
2. Honradez intelectual en el campo de la investigación científica: concluir lo verdadero, no lo que me convenga.
3. Fomentar la reflexión, el análisis, la crítica constructiva. ¿Cómo discernir? En primer lugar, observamos cómo se plantean las cuestiones. Hay, por decirlo así, algunos planteamientos sospechosos. Uno de ellos consiste en apoyar la argumentación con frases hechas, con *eslóganes*, que no resisten el análisis de un razonamiento. Otro consiste en destruir antes de ofrecer una solución mejor que la rechazada.

Cuando esto ocurre, esa información es, al menos, de valor dudoso. En general, puede advertirse cómo es parcial en muchos casos una información, puesto que pretende ofrecernos toda la verdad cuando sólo destaca algunas facetas de la cuestión.

La educación consiste en crecer en la verdad y en el bien.

El criterio no puede limitarse a saber reconocer los reduccionismos. Consiste en la capacidad de valorar una información en función de la verdad y del bien, no de la moda.

Tener criterio es, ante todo, apreciar la verdad y el bien.

Tener criterio incluye también una especial sensibilidad respecto al uso del propio tiempo: no hay que malgastar el tiempo en adquirir una información anodina; tampoco hay que admitir una información insuficientemente basada en la realidad.

Que los niños y los adolescentes se enamoren de la verdad.

Pero todo esto es muy difícil de conseguir con los niños si no se empieza a la edad conveniente. En otras palabras, hay que enseñar a consultar antes de decidir, antes de hacer, antes de leer. Los hijos necesitan aprender de sus padres y maestros cuáles son, en cada caso, las mejores fuentes de consulta y qué grado de confianza merecen.

Desde esa actitud de consulta aprenderán a evitar por igual la desconfianza y la ingenuidad y llegarán a saber que no todo puede ser experimentado y que no todo puede ser leído.

Al ayudar a niños y adolescentes a ser personas, a pensar por sí mismos y con rectitud, les estamos enseñando a no dejarse manipular.

SABER QUERER

No basta con orientar la mente hacia la verdad. Condición no menos importante es vivir según esos principios, por aquello de que "si no vives como piensas, acabarás pensando como vives". Las ideas claras pueden traducirse más tarde en comportamientos congruentes.

La conquista del bien es algo que nos entusiasma y enamora, ya que el destino del corazón humano es poseerlo; sin embargo, ¡cuántas limitaciones tiene la libertad interior cuando no podemos alcanzar ese bien tan deseado!, precisamente por esa debilidad que nos lleva a conformarnos con poco en lugar de tratar de alcanzar metas más ambiciosas.

Es necesario desarrollar capacidades y fuerzas que nos ayuden a conquistar el bien, a desarrollar virtudes: éstas proporcionan la suficiente soltura interior, que es una dimensión indispensable de la libertad humana.

¿Cuántas limitaciones encontramos precisamente por una falta de fuerza o educación de la voluntad cuando no somos ordenados, constantes, sobrios, alegres o veraces; en pocas palabras, cuando no somos dueños y señores de la propia voluntad?

"Aprender a querer" o "saber querer" son expresiones que sintetizan los más importantes objetivos educativos. Cuando convivimos con una persona de excepcional categoría humana, ¿no advertimos que se distingue de los demás, fundamentalmente, por su inmensa capacidad de querer y por su asombrosa capacidad de sufrir, que crecen a la par en ella? El querer, en esta sociedad hedonista,[3] se reduce muchas veces a querer tener o a tener.

Los valores materiales son sólo medios para lograr fines superiores.

El querer admite diversas especificaciones: querer *tener*, querer *hacer*, querer *ser*, etcétera.

Cuando hablamos de educación queremos decir perfeccionar el ser, ser más y mejor. El tener y el hacer deben ordenarse al ser. Querer a otra persona es quererla perfeccionarla, es quererla mejor, querer que sea mejor.

El amor —que es una forma de querer— es el regalo esencial. Todo lo demás que se nos da sin merecerlo se convierte en regalo en virtud del amor.

---

[3] Una sociedad hedonista es aquella en la que el valor principal es el placer, el gozo de los sentidos, es decir, reduce su fin al bienestar material y a disfrutar al máximo en detrimento de otros valores humanos.

Luego, si es el regalo esencial, ¿no debemos, sobre todo, saber querer?

Muchas veces la principal dificultad radica en que no vemos, no nos percatamos de la realidad. Y se trata de aprehender la realidad para luego a su vez ordenar el querer y el obrar.

Por otra parte, no estamos solos en el mundo. Convivimos con otras muchas personas. No se trata de aprender a convivir de cualquier modo, sino en la verdad más elemental y, en la convivencia, ésta es:

Dar a cada uno lo suyo.

Esta es la virtud de la justicia, hábito de la voluntad que inclina al hombre a dar a cada uno lo suyo. ¿Cómo enseñar esto a los hijos en diferentes edades? ¿No supone enseñar a distinguir lo propio de lo ajeno, a descubrir cuánto debo a los demás en lo material y en lo espiritual, a saber lo que justamente se espera de mí?

Se trata, en definitiva, de que la verdad no cese de hacer sentir sus efectos sobre la vida activa. No basta admitir la verdad o buscarla. Hemos de vivirla. Y en la convivencia siempre hay *otro* como punto de referencia de lo justo. Lo que supone, al menos, estar dispuesto a respetar. De ahí la importancia de la educación del respeto.

También el agradecer es rigurosa obligación de justicia.

Para convivir con respeto, hay que agradecer a los demás lo que hacen por nosotros.

Habría que destacar otras muchas enseñanzas relacionadas con el saber querer:

1. Enseñar a tomar en cuenta no sólo a uno mismo, sino a los demás y a las circunstancias.
2. Enseñar a convivir respetando a los demás.
3. Enseñar a hacer el bien.
4. Enseñar a realizar el orden en el yo.
5. Enseñar a acercarse a la verdad.
6. Enseñar a vivir como seres dependientes de sus compromisos en virtud de las propias decisiones.
7. Enseñar a vivir como seres independientes por cuanto somos libres.

No basta remover los obstáculos para llegar a conocer la realidad de las cosas ni querer vivir en la verdad con el prójimo si nos falta fortaleza que, en realidad, no es otra cosa que la disposición para realizar el bien aun a costa de cualquier sacrificio. Ello supone superar muchos miedos, siendo el primero de ellos el miedo al esfuerzo.

En resumen, se trata de saber querer, porque sin amor la vida se reduciría a una existencia muerta. Y el querer no se refiere sólo a lo que yo quiero o deseo, sino también a mis pensamientos y a mis acciones.

Mi querer se ha de traducir en detalles de servicio.

Los niños obedecen en la medida en que sus padres les enseñan a obedecer, de modo que la suya llegue a ser una obediencia colaboradora, con la participación de cada hijo en la vida familiar. Así la obediencia no es ciega, sino que parte de la aceptación, parcialmente lograda por los niños, de las metas educativas que les proponen los adultos.

Mandar y obedecer son dos modos de servir y de amar en ese
ámbito natural del amor que es la familia.

Un hijo hace lo que deciden sus padres no siempre por su bien particular, sino por el bien común de la familia.

Esquema 3:

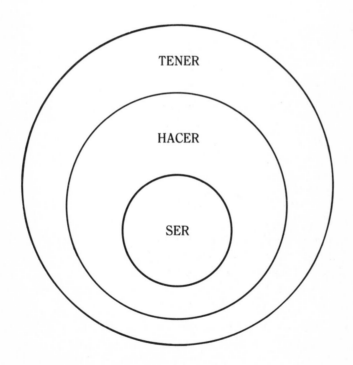

2

Superación de condicionamientos ambientales[1]

[1] Basado en el documento de Otero, *La libertad en la familia*, documento de orientación familiar núm. 134, elaborado por el departamento de Investigación del Instituto de Ciencias de la Educación de la Universidad de Navarra, Pamplona, 1974.

Esquema de apoyo didáctico

Esquema 1:

La libertad humana es real, pero está condicionada; es una libertad concreta y limitada.

Entre los condicionamientos del ambiente se cuentan, entre otros, los siguientes:

1. Las limitaciones de las personas con las que se convive.
2. La carencia de oportunidades.
3. No tener satisfechas las necesidades básicas de alimento, vivienda y vestido.
4. La ignorancia.
5. La pasividad ante la verdad y el bien.
6. La falta de sanas ambiciones de superación.
7. Las injusticias y la violencia.
8. La manipulación publicitaria.
9. El poco o nulo apoyo familiar.
10. Las malas compañías.
11. La tergiversación de los valores.
12. La desocupación o falta de fuentes de trabajo.

Una de las presiones ambientales más fuertes es el afán de consumir debido a la fuerza y la persistencia de la publicidad.

¿Cuál es la consigna de muchos productos de consumo? El placer, el éxito, ser atractivo, la moda, etcétera.

Otra presión ambiental grave es el subjetivismo. Es el sujeto, el yo, quien dictamina y quien busca su interés y su convivencia. Se proclama la autonomía absoluta del hombre. No hay más ley que su voluntad. Se encierra, por tanto, al ser humano en sí mismo y la realidad se transforma según convenga, haciéndolo todo relativo y contradictorio.

INTRODUCCIÓN

Estamos considerando cómo crece nuestra libertad, cómo crecemos nosotros en libertad en medio de las dificultades. Crecemos libremente en medio de limitaciones y de condicionamientos.

Crecemos también en capacidad de iniciativa, pero la pasividad es un condicionamiento interno en la propia familia, en el centro educativo o en el lugar de trabajo.

Crecemos asimismo en capacidad de soltura, pero nos condiciona nuestra propia torpeza:

1. Nos falta agilidad de pensamiento o de acción.
2. Percibimos con dificultad el pensamiento o los sentimientos de los demás.
3. Se nos ocurre tardíamente la respuesta adecuada.
4. Nos cuesta mucho expresarnos.

Crecemos en capacidad de servicio, pero seguimos condicionados por nuestro egoísmo, por nuestros caprichos y por nuestros prejuicios. Y la propia sociedad hedonista en que vivimos, saturada de individualismo, también condiciona nuestra libertad de servir.

Y así podríamos continuar respecto a otras muchas capacidades humanas. En relación con el desarrollo de cada una de estas capacidades hay varios condicionamientos. Nuestra libertad es, pues, condicionada.

Hay limitaciones de los demás que nos afectan lo mismo que determinadas carencias o presiones ambientales (muchas veces en forma de ideas o de costumbres de moda). Aquí nos estamos refiriendo a las limitaciones superables.

Nuestro cuerpo también parece condicionarnos. A veces se oye decir: "Mi alma es libre; mi cuerpo es torpe, me impide volar." De hecho, no es una limitación superable y ni siquiera un condicionamiento en sentido estricto. Lo que a veces cuesta aceptar es que nuestra libertad sea una libertad encarnada. No obstante, querer otra cosa sería atentar contra nuestra naturaleza humana.

La realidad tiene exigencias de las que pensamos poder liberarnos mediante algún tipo de evasión que nos lleve a vivir sin ataduras. Pero la evasión, la fuga, no resuelven nada. Pueden fascinar mientras permanecemos en el sueño de la superficialidad, pero la tristeza aparece pronto como síntoma de que algo no está bien; y esa misma tristeza, ¿no paraliza la vida y la libertad? El condicionamiento radica en el afán de evadirse.

LIMITACIONES AJENAS, CARENCIAS Y PRESIONES

Nuestra libertad es una libertad limitada, condicionada. Ahora se trata de examinar algunos de los condicionamientos ambientales.

Son condicionamientos ambientales las limitaciones personales de los demás, especialmente de aquellos con quienes convivo y trabajo.

Aparte de querer a las demás personas hay que quererlas mejor. Ayudarlas a superar sus limitaciones es, para uno mismo, superar un tipo de condicionamiento en la educación de la propia libertad.

Son condicionamientos ambientales las numerosas y diferentes carencias que se presentan en las situaciones tan particulares de los seres humanos. Entre otras mencionaremos las siguientes:

1. Falta de alimento.
2. Falta de vivienda adecuada.
3. Falta de oportunidades de participar con iniciativa.
4. Falta de conocimientos.
5. Violencia, injusticias.
6. Presiones y manipulación de la publicidad y la moda.

DOS PRESIONES AMBIENTALES: CONSUMISMO Y SUBJETIVISMO

Dada la variedad de las presiones ambientales, nos limitaremos a exponer sólo dos: el consumismo[2] y el subjetivismo.

¿Es el consumismo el condicionamiento ambiental más grave?

Tal vez no, pero quizá sí sea el más persistente y el que mejor se disfraza con el ropaje de la libertad. ¿Por qué? Porque se le acepta sin pensarlo, sin crítica y así se llega a pensar que el bien es *consumir* y el mal es *no consumir.*

El único objetivo de algunos es el mayor consumo para un mayor número de personas.

En nuestra sociedad los términos "sexo" y "placer" se han aproximado hasta llegar casi a identificarse. El comercio masivo del sexo tiene la pretensión de ofrecer al posible consumidor los más sofisticados derivados del placer sexual, suprimiendo el riesgo de asumir las responsabilidades de sus acciones. O haciendo a un lado las implicaciones naturales del comportamiento sexual sano y recto, por ejemplo, el compromiso duradero entre la pareja y la realidad de la concepción.

Otra presión ambiental grave es el subjetivismo. Según éste, el *yo* es el que rige sin otra ley ni regla que la propia conveniencia. El subjetivismo se apoya en una verdad: que el hombre es el ser más individual del planeta. No obstante, se equivoca al considerar que el hombre puede vivir una vida aislada. El individuo es autónomo para elegir con qué alimenta su inteligencia, pero no para determinar su naturaleza ni su destinación.

El subjetivismo se opone al desarrollo de la libertad porque encierra al hombre en sí mismo.

[2] *Consumismo:* ideología que toma una parte de la realidad del hombre (el ser consumidor) y lo transforma en la definición absoluta y en sistema antropológico, así el fin del hombre es consumir que es su felicidad y la sociedad debe facilitar el consumo personal y masivo.

Es también una teoría económica que sostiene que la prosperidad se dará en el aumento del consumo por parte de los miembros de una sociedad.

Esa actitud clausura los caminos de la madurez personal.

Algunos síntomas del subjetivismo son:

1. Acortamiento del radio de interés.
2. Aumento de las reacciones de defensa o percepción de los elementos exteriores como portadores de una amenaza.
3. Falsear la realidad de acuerdo con la propia conveniencia.

El hombre influido por el subjetivismo se desinteresa. Pierde el amor a la verdad y queda anclado en sí mismo. Las reacciones de desconfianza y de agresividad contribuyen a su cerrazón.

Hoy, a causa del subjetivismo, surgen graves problemas de comunicación en la relación humana: disminuye la capacidad de comunicación, de expresarse, de asociar palabra y gesto, de darse plena cuenta de lo que lee o de lo que habla; por consiguiente, aumentan la soledad y el vacío interno.

En esta situación de crisis, el ser humano intenta encontrarle sentido a su vida, pero no siempre lo hace por el camino adecuado. Como hijos de nuestro tiempo, todos corremos el peligro de ser víctimas de esta enfermedad del espíritu.

Estas dos presiones ambientales merecen cierta atención a fin de contrarrestar sus efectos.

LIMITACIONES Y LÍMITES

El consumista encuentra graves dificultades para desarrollar su libertad porque se encuentra adormecido. Necesita que alguien lo despierte.

Ser educador es poner despertadores en la vida de los demás.

En este sentido, Sócrates se consideraba un tábano (un despertador) para la sociedad de Atenas.

En la familia, la educación de la sobriedad puede ser un despertador, sobre todo si se comprende, frente al consumismo, que es un acto de rebeldía positiva.

Al subjetivista es mucho más difícil despertarlo porque intenta ser completamente independiente. En el oscurecimiento de su inteligencia niega los límites del hombre. Por eso muchas veces responde: "A mí no me hacen daño esas cosas", y se encuentra sin defensa ante el error.

¿Qué hacer?

Se podría ayudar a distinguir entre espontaneidad y libertad, entre limitaciones y límites.

Lo propio de la espontaneidad es la reacción; lo propio de la libertad es la decisión.

Quien decide pone en obra su libertad en función de lo que quiere porque es libre para querer lo que sea, pero previendo las consecuencias de su decisión busca los límites de su querer: ¿Qué quiero dentro de lo que puedo? ¿Coinciden mi querer y mi deber?

Tengo algunas posibilidades, pero soy limitado. Tengo unos deberes que se desprenden de mis circunstancias y mi querer debe atenerse a esa realidad. Como ser humano tengo derechos y deberes. ¿Es una limitación querer mantenerse dentro de los propios límites?

Soy libre de hacer o no, de hacer esto o aquello, de dar o de conservar, todo ello dentro de mi capacidad. Y además, tengo unos deberes relacionados con el hacer. Y hay unos principios que permiten distinguir el bien hacer del mal hacer, la buena posesión de la mala posesión, etcétera.

Luego, no es verdad que la libertad sea "obrar espontáneamente". ¿No vemos con qué espontaneidad rebuzna un burro? Nuestra naturaleza humana tiene límites y nuestra espontaneidad necesita ser dirigida por el ejercicio correcto de la inteligencia y de la voluntad.

Por tanto, es necesario aprender a informarse y a dedicar tiempo a la reflexión para pensar mejor.

Ahora bien, ¿es posible pensar bien sin afán de buscar la verdad?

El amor a la verdad puede ser un magnífico norte en la vida del hombre. ¿Es posible querer sin afán de buscar el bien?

Además, ¿cómo saber qué es la verdad —a la que naturalmente tiende el entendimiento— y qué es el bien —al que por naturaleza tiende la voluntad—? Necesitamos descubrir unos criterios que nos permitan distinguir lo verdadero de lo falso, de lo bueno de lo malo, cuando pensamos, cuando nos informamos, cuando elegimos, cuando realizamos lo decidido, etcétera.

Soy libre, y por eso puedo superar mis limitaciones, pero no sin límites.

El ser humano es un ser en constante evolución. Es posible el cambio, pero se ha de contar con la libertad del sujeto. La situación se hace difícil cuando la persona niega:

1. La existencia de nuestra naturaleza humana.
2. La existencia de la verdad.
3. Los valores.
4. La dignidad de la persona.

Dicen que nada motiva tanto como el amor verdadero. Podemos apoyarnos en la comprensión y en la capacidad de razonamiento y de cambio positivo a la que toda persona tiende naturalmente.

Entender el concepto de libertad en sus justas dimensiones ayuda a dar un paso adelante en el esclarecimiento de las dificultades.

TRABAJO EN EQUIPO

ERNESTO

Me llamo Ernesto Vargas. Soy el tercero en una familia de cuatro hermanos varones que más tarde se amplió con el nacimiento de dos hermanas del segundo matrimonio de mi papá.

Mientras vivió mi mamá fuimos muy felices y unidos. Ella sabía poner amor donde había contrariedades; prudencia donde había descontrol; delicadeza donde había asperezas, y esperanza cuando no se veían soluciones. Ella y mi papá se complementaban de tal modo que la figura de mi papá y la idea que teníamos de él, antes de que ella muriera, era muy diferente al papá que después nos encontramos.

Mi fuga
Yo tenía ya 18 años cuando ella murió. Por tanto, recuerdo muy bien cómo controlaba, con delicadeza, los impulsivos enojos de mi papá y cómo suavizaba, con finura y prudencia, la dominante autoridad paterna.

Mi papá era un patriarca de fuerte carácter que pasaba bastante tiempo en la casa.

Nos educamos en una cámara aislada de paz, tranquilidad y sosiego. Con el delicado tacto de mi mamá, papá aparecía ante sus hijos como un ser perfecto y sin fallas.

Cuando murió mi mamá no quise comprender –quizá por falta de formación y de experiencia– que mi papá era un hombre normal, común y corriente, con virtudes y pasiones, con luchas y desalientos, falto ahora de la presencia de quien tanto lo había ayudado. Ahora lamento mi incomprensión y mi rebeldía, y el no haber sido un apoyo para mi papá en momentos duros, cuando él estaba solo.

Pasado algún tiempo volvió a casarse. Ello nos produjo desconcierto. Fue como si se cayera de su pedestal. Yo viví meses de angustia, de indignación y de aturdimiento.

Después de ese segundo casamiento de mi papá transcurrieron dos años en los que viví desorientado. Fue una crisis de intolerancia, de aborrecimiento y de indiferencia. Y terminé por decidirme a huir de aquel ambiente.

Me fui al extranjero; trabajé en negocios no lícitos y viví con personas cuya compañía no me beneficiaba precisamente. Cada vez me encontraba más amargado y vacío. Pero siempre me venían recuerdos de mi mamá, y así pasó un año hasta que comprendí que si quería salir de eso tendría que buscar otro camino.

Mi primera novia
Por entonces tenía relaciones formales –al menos así lo creía ella– con una muchacha de mi tierra que me había conocido en los buenos tiempos en que aún vivía mi mamá, se llamaba Clara.

A la vuelta de mis viajes por el extranjero siempre la encontraba alegre y bondadosa, con la silenciosa esperanza de quien confía revivir tiempos pasados. Intentaba, con su paz, volverme a mis antiguas costumbres y sentimientos.

Aunque le ocultaba lo que hacía, ella intuía mi desordenada vida. Hacíamos lo de siempre: salir de paseo, ir al cine, ir a tomar un café, platicábamos; pero mi conversación se volvía cada vez más pobre.

Un día me llevó a la casa de un buen amigo de mis papás. Ella se retiró y me dejó hablando con él. Ignoro cómo y por qué lo hizo, pero lo que sí sé es que me pasé un largo tiempo dialogando con él; sólo sé que al terminar Clara se había ido.

Volví a casa loco de contento. Al fin había roto con el lastre que me ataba; había desenredado la maraña que me envolvía.

Al principio supuse que Clara me había dejado solo cansada de esperar. Pero al llamarle desde mi casa me contestó lo siguiente y luego colgó el teléfono:

— Perdóname, pero ahora que has encontrado y comenzado un buen camino podrás continuarlo solo. Nuestras relaciones se han terminado.

Me resultaron incomprensibles aquellas palabras. ¿Cómo podía ella hacerme esto, cuando al fin me encontraba al inicio de una vida nueva y limpia?

Tardé algún tiempo en reaccionar y en comprender la magnitud del heroismo de Clara, porque el egoísmo y la vanidad no me dejaban ordenar mis pensamientos.

Rompí con mis ocupaciones y amigos. Y regresé a la casa de mi hermano mayor, ya que mi papá me había corrido de la suya en el último pleito.

Tenía entonces 23 años, algunas ideas de mi formación en la escuela y unas frases que recordaba de mi mamá. Con eso, y desprendido de lo que era mi lastre (trabajo, amigos y dinero), me lancé a buscar un nuevo camino.

En uno de los muchos paseos que daba por la ciudad tropecé con un viejo amigo que hacía años que no veía. Se interesó por mi vida y por mi situación. Me habló de su hermano, muerto en la cárcel. Me dijo que había encontrado la paz en el servicio a los demás, en la responsabilidad del trabajo cotidiano y en el cuidado de las cosas pequeñas de cada día.

Yo iba escuchando estas cosas, pero aún no tenía un trabajo. Descubrí que había en mí una fuerza que intuía la posibilidad de ser mejor, de otra forma. Pero, ¿cuál?

En lo profesional seguía buscando soluciones y haciendo muy diferentes trabajos eventuales.

En lo afectivo veía más dificultades, aunque las relaciones con mi papá empezaron a mejorar.

Pensaba que a mi edad el problema afectivo lo debía centrar en el matrimonio. Pero como cosa que estaba distante, lo dejé en suspenso.

Poco a poco todo se fue aclarando. Me busqué un puesto en una oficina del gobierno gracias a la amistad de mi hermano con un compañero de estudios. Esto me obligó a aprender a redactar oficios, cartas, llevar un fichero, organizar una oficina, etcétera.

Como las relaciones con mi papá mejoraban, me dio facilidades para poner una empresa. Y así creía tener resuelto mi problema profesional.

Además empecé a salir con una muchacha. Nos hicimos novios. Y también creí que estaba resuelto mi problema afectivo. Y fue lo primero que me falló, ya que al enterarse ella y sus papás de que yo no había sido tan serio como aparentaba todo lo deshizo.

Mi boda

Mi primer fracaso amoroso se debió a no haberle explicado la verdad de lo que yo había sido. Y al tenerla engañada la desilusioné.

Por eso tomé nota. Y no ocurrió así con la que hoy es mi esposa.

Teresa y yo nos casamos. Empleamos muchas horas de cariño clavando, buscando al carpintero más barato; construimos lámparas de la más pura artesanía e instalamos enchufes y luces.

La casa era, mejor dicho, nos parecía un "palacio" que pronto se vio alegrado con la esperanza del primer hijo.

Pero entonces me sobrevino el fracaso profesional. Por no haber previsto con claridad los medios, mi empresa fracasó rotundamente; mi empresa, que yo había edificado con mil sueños, se vino abajo al año de casado.

Sería cruel contar y descubrir lo que es un embargo de muebles, sobre todo cuando éstos son los de unos recién casados.

A mi sufrida mujer, embarazada, no le tuve que explicar lo que era una letra de cambio, un crédito bancario, un embargo, porque lo aprendió sola, viviendo la tragedia de aquellos meses de trámites judiciales.

Cada mañana salía yo a la calle acompañado del beso y de la sonrisa de Teresa, mientras le decía a ella, con aire de seguridad: "Me voy a trabajar." Y al bajar la escalera, me iba preguntando: "Sí, a trabajar; pero, ¿a dónde?"

Cobré recibos, vendí cereales, representé a una casa de objetos de regalo.

Regresaba a mi casa con la alegría del que llega a su refugio, a ese refugio en donde espera el ser querido. Mi esposa me recibía alegre, arreglada y maquillada; siempre estaba muy guapa y de buen humor, aunque no hubiera recursos económicos.

Teresa y yo reconocemos que nunca nos faltó el dinero justo para vivir.

Hubo muchas noches en las que mi esposa y yo, aparentando dormir, nos las pasábamos en vela —uno al lado de otro— y en la más absoluta inmovilidad. Al día siguiente nos animábamos contándonos lo bien que habíamos dormido.

Otros días comprobaba que el agua del lavabo no había podido quitar a Teresa las señales de su llanto. Cuando le preguntaba, en alguna ocasión, la causa de esas lágrimas —como si yo no lo supiera— me decía: "Está la casa tan desmantelada, que lloro porque no tengo nada que limpiar."

¡Cuántas delicadezas y cuánto amor nacieron en esa casa tan falta de muebles!

Mi trabajo y mi familia

Tenemos cuatro hijos. Esta tarde de sábado he tenido que hacer un biberón al bebé; recoger unos juguetes en compañía del mayor, que ya tiene seis años; arreglar un contacto; dar la medicina a otro hijo, etcétera.

Tengo actualmente trabajo fijo, aunque los ingresos no lo sean tanto. Cuando estoy a punto de hacer un negocio, lo sé siempre. Basta con preguntarle a mi esposa cuánto dinero le queda.

Cuando al preguntárselo me dice que le queda algo, es que no le queda casi nada. Y al día siguiente, o al otro, entra en mi despacho, no ese cliente que esperaba, sino un cliente inesperado que quiere realizar un trabajo que nos saca de apuros.

Tenemos muebles nuevos. Casi todo pagado, ya que nos quedan pocas letras que abonar.

Vestimos con dignidad y vamos algunas veces al cine. Somos felices, aunque no hace falta que diga que nunca faltó el dinero justo (o "justito") en mi casa.

Los hijos han sido un regalo que han sabido hacernos olvidar las mil preocupaciones diarias.

Y mientras he estado escribiendo estas páginas han vuelto a mi memoria miles de anécdotas.

Quisiera manifestar mi agradecimiento a mis padres, a Clara y a mis amigos. Todos ellos, de un modo u otro, me fueron ayudando en este camino que parece un tanto difícil de andar. Y, sobre todo, mi gratitud a Teresa, mi esposa, que comparte conmigo todo con tanto cariño y optimismo.

COMENTARIOS DEL CASO

El protagonista narra cómo se fugó de su casa a los 18 años, después de la muerte de su mamá; cómo era su familia de origen; cómo influyó sobre él su primera novia. A partir de un momento decisivo, narra las dificultades de su vida en lo profesional y en lo afectivo. Las últimas páginas se refieren a su vida familiar y a las relaciones conyugales.

Posibles objetivos

1. Destacar la influencia materna en la vida de una persona.
2. Analizar las influencias positivas y negativas en la vida del protagonista.
3. Poner de relieve las cualidades y las limitaciones personales que, juntamente con las ayudas, contribuyen a la situación actual del protagonista.
4. Considerar la incidencia del trabajo de los padres en la vida familiar.
5. Destacar algunos detalles significativos de la convivencia conyugal.

Posibles preguntas

Una vez analizados los hechos en torno a tres aspectos de la vida del protagonista: lo profesional, lo afectivo y lo social, se podría iniciar la discusión con preguntas como las siguientes:

1. ¿Cuáles son los principales elementos que influyen positivamente en el desarrollo de la libertad de Ernesto?
2. ¿Qué elementos inciden negativamente en el desarrollo de su libertad?
3. ¿Qué capacidades humanas relacionadas con la libertad destacan en el comportamiento de Ernesto y en el de Teresa?
4. ¿Cómo se relacionan trabajo y libertad en la vida de Ernesto?

Información básica

Es un caso muy complejo y de interés para las diferentes áreas de la educación familiar. Permite analizar diversas relaciones: familia de origen y familia fundada; noviazgo y matrimonio; trabajo y familia; libertad y familia, etcétera.

Para dirigir la discusión conviene haber estudiado a fondo la relación entre libertad y familia y entre libertad y trabajo.

Conviene hablar previamente y con brevedad acerca del optimismo y del pesimismo en la educación. Así puede quedar clara la diferencia entre lo utópico y lo infrecuente, entre lo conseguido y lo conseguible, entre lo bueno y lo mejor, etcétera.

Índice analítico

La publicación de esta obra la realizó
Editorial Trillas, S. A. de C. V.

División Administrativa, Av. Río Churubusco 385,
Col. Pedro María Anaya, C.P. 03340, México, D. F.
Tel. 6884233, FAX 6041364

División Comercial, Calz. de la Viga 1132, C.P. 09439
México, D. F., Tel. 6330995, FAX 6330870

Se terminó de imprimir y encuadernar el 27 de mayo de 1998,
en los talleres de Rotodiseño y Color, S. A. de C. V.

RBR BM2 100 RW